Poètes du Moyen Age

Pour Marlou,

ces [illegible] t bien

avec l'a[illegible]

J. [illegible]

Poètes du Moyen Age

Chants de guerre, d'amour et de mort

Préface de Jacques Roubaud

Textes choisis, traduits et présentés
par Jacqueline Cerquiglini,
avec la collaboration d'Anne Berthelot

Le Livre de Poche

Blanche comme le lis, plus vermeille que la rose.

Née en 1945, Jacqueline Cerquiglini, ancienne élève de l'École normale supérieure de Fontenay-aux-Roses, docteur d'État ès lettres et sciences humaines, enseigne la littérature médiévale à l'université d'Orléans. Spécialiste des formes littéraires et de l'écriture de la fin du Moyen Age, elle dirige un Centre de recherche qui se consacre à ces questions. Elle a publié en 1982 *Cent Ballades d'amant et de dame* de Christine de Pizan, aux éditions 10/18, et en 1985 *« Un engin si soutil ». Guillaume de Machaut et l'écriture au XIVe siècle*, aux éditions Champion.

Anne Berthelot, ancienne élève de l'École normale supérieure, est agrégée des lettres et docteur ès lettres.

PRÉFACE

Tout choix de poésie médiévale se heurte à des difficultés considérables qu'il est nécessaire d'expliciter, au moins partiellement, pour éviter quelques malentendus sur la nature de ce qui est lu.

La première est temporelle : commencer par *La Chanson de Roland* et terminer par les grands rhétoriqueurs dans les premières décennies du XVIe siècle c'est traverser quelques centaines d'années en tout juste deux cent cinquante pages. Il est clair que la poésie dans ce vaste intervalle de temps n'est pas restée immobile, alors que les versions données en français contemporain tendent à gommer ce mouvement.

La deuxième est une difficulté de géographie politique : les auteurs représentés, tant ceux qui signent que les innombrables anonymes, appartiennent à des régions de ce qui est aujourd'hui le territoire national français, mais dont l'unité est largement postérieure au Moyen Age. Pour ne prendre qu'un exemple, il a existé pendant une grande partie de la période considérée une unité à la fois politique et culturelle du duché de Bourgogne dont la singularité ne peut qu'être annulée par l'inclusion de ses représentants dans l'entité anachronique où ces frontières ont été supprimées.

La troisième, qui n'est pas indépendante des deux autres, est linguistique : l'aspect le plus spectaculaire des divergences langagières dans les textes d'origine est évidemment la grande coupure, encore sensible aujourd'hui, au moins dans les sons parlés entre l'oc et l'oïl. Dans le domaine de la poésie lyrique, cela se traduit par la juxtaposition des traditions cousines, mais fort distinctes, des troubadours et des trouvères. Les troubadours, ne l'oublions pas, ne s'expriment pas en français, même ancien. Leur présence est malgré tout indispensable, ne serait-ce que parce que toute la poésie qui suit le XIIe siècle, jusques et y compris les mouvements contemporains, dépend étroitement de leur conception du « chant ». Alors qu'une quantité immense de poésie de cette époque est latine, c'est essentiellement la tradition vernaculaire — propre au pays — qui a survécu, frappant décisivement d'archaïsme la poésie néo-latine, en dépit de ses grandes réussites.

Le problème linguistique ne se réduit pas à ces deux cas les plus évidents. Le français tel qu'il s'impose à la fin du Moyen Age ne l'emporte pas seulement sur l'occitan et le latin, mais aussi sur une variante très proche, le picard. Une bonne partie des grands textes de la poésie médiévale sont écrits dans cette langue (par exemple les « congés » de Jean Bodel) et son ombre pèse encore sur les « grands rhétoriqueurs ».

Une dernière difficulté linguistique pour l'appréciation de la poésie des trouvères comme de celle de Guillaume de Machaut peut apparaître comme paradoxale : c'est qu'il s'agit précisément de français. Avec un peu d'habitude, et de plus en plus facilement à mesure que les siècles avancent, on peut lire cette poésie dans le texte. Mais la langue a changé, les mots du registre lyrique les plus chargés de sens ont bougé, vieilli, se sont affaiblis. Le mot *gentil* est actuellement mièvre, le mot *joie* n'a pas l'intensité qu'il a chez Bernard de Ventadour ou Thibaut de Champagne. L'usure des vocables, avec le sentiment assez fort du fait que notre propre lexique est un descendant de ce lexique ancien, est un des éléments du contresens fondamental, spontané, que l'on peut faire sur cette poésie, à savoir son caractère primitif et enfantin. La poésie médiévale n'est nullement une préfiguration maladroite des chefs-d'œuvre « adultes » qui la suivent (la Pléiade, les classiques, les romantiques, les surréalistes...). Elle se tient parfaitement toute seule et n'a besoin d'aucune excuse. On pourrait même, avec au moins autant de pertinence, défendre la thèse inverse, celle du déclin.

Un caractère spécifique essentiel de cette poésie est son inspiration orale. Ce qui organise et supporte la forme de vie poétique, c'est l'*oralité*. Sans doute, on se heurte immédiatement au paradoxe de la transmission, qui est, elle, bien évidemment, écrite, exclusivement le manuscrit, dans presque toute la période considérée, puisque le livre imprimé vient seulement de faire ses débuts au XVIe siècle. Mais il est clair que la conception de la poésie (c'est beaucoup moins vrai de la prose) est celle d'un art de la mémoire qui se transmet par la bouche et est recueilli par les oreilles, et bouge sans cesse dans cette transmission. Les variantes considérables reconnues dans les manuscrits de chansons de troubadours ou de trouvères ne sont pas des fautes, des déperditions, des destructions d'un modèle parfait originel, mais bien un mode d'existence de l'objet poétique, pour lequel nous avons aujourd'hui à imaginer l'inventivité. Pendant l'âge d'or de la lyrique (XIIe-XIIIe siècles), l'existence orale du poème domine, inséparable de son existence musicale ; le Grand Chant, comme d'ailleurs la poésie populaire, est chanson. Un équilibre, complexe, de mots et de sons. L'alliance majeure entre langue et musique trouve son aboutissement ultime dans la tradition française avec Guillaume de Machaut. Son œuvre, immense, est sans doute d'une originalité aussi grande que celle d'un Chaucer, d'un Dante ou d'un Pétrarque. On commence seulement à le découvrir. Après Machaut, cette alliance est rompue. Le texte écrit et le vers sans musique deviennent peu à peu la règle. Mais la conception de la forme poétique qui avait dominé jusque-là ne disparaît pas. On peut penser que certaines des particularités, longtemps considérées comme extravagantes, de l'art des « grands rhétoriqueurs » trouvent leur origine dans l'exubérance ultime de l'art oral. Les poèmes de Molinet ou Crétin gagnent à une exécution (de type musical) par la voix, faisant entendre les mélismes ornementaux des trouvères, dans la profusion et le choc des rimes.

On touche là à une difficulté majeure de la modernisation : toute la grande poésie médiévale est jeu et joie des rythmes et des rimes. Même dépouillée par la musique, elle présente une grande complexité de formes métriques, de dispositions de rimes et de formules strophiques. Les initiateurs sont les troubadours, mais contrairement à ce qu'on pourrait croire, les trouvères ne sont pas moins riches de ce point de vue. Une sorte de remords tardif pour la croisade des albigeois a fait que des poètes comme Thibaut de Champagne, Gace Brûlé ou Conon de Béthune, sont considérés comme inférieurs à Jaufré Rudel, Bernard de Ventadour, ou Guiraut de Borneil, ce qui n'a pas de sens. Les trouvères ont repris et adapté à leur propre usage la forme de la *canso*. Ils l'ont fait avec invention et originalité. Ils n'ont toutefois pas repris la totalité de la tradition troubadouresque. En particulier, le *trobar clus* — ou art de l'invention difficile — et l'art de l'entrelacement (qui curieusement se retrouve dans la prose de roman) leur échappent. Or il est pratiquement impossible, dans l'état contemporain de la poésie française, de trouver une solution satisfaisante au problème de sa « transduction » (à la fois déplacement dans la langue et dans le temps). En effet, traduire en reproduisant le système de mètres et de rimes donne un caractère inévitablement désuet au résultat. Mais se borner comme on est, hélas ! presque obligé de le faire, à une forme modérée du vers libre moderne, ampute le poème de son squelette rythmique. On n'a qu'une ombre, il ne faut pas l'oublier.

Une telle anthologie sera donc nécessairement une introduction et une incitation à une lecture directe des textes, à l'instar de ce qui se pratique de plus en plus en musique (exploration qu'il est recommandé de faire parallèlement). C'est moins difficile qu'on ne pense, et de plus en plus d'œuvres sont maintenant relativement accessibles. Même avec l'énorme déperdition des siècles, la quantité de poésie conservée est considérable. On ne trouvera donc ici que des exemples significatifs de la très grande diversité à la fois des genres et des formes.

Tout au début, avec *La Chanson de Roland*, la poésie épique est presque aussi éloignée de nous que l'*Iliade*. Le lyrisme des trouvères, au contraire, compte tenu des mises en garde précédentes, peut très rapidement être senti pour ce qu'il est, c'est-à-dire extrêmement contemporain. Même avec le film en accéléré qui nous fait sauter en quelques pages d'un bestiaire à Rutebeuf, d'Eustache Deschamps et Christine de Pizan (un des premiers monuments de la poésie féminine et féministe) à Charles d'Orléans et Villon, puis à Molinet et Jean Lemaire de Belges, il est possible d'appréhender la très grande richesse de notre première poésie.

Le dernier texte du livre est un rébus de Jean Marot, le père du Marot plus connu, Clément. La continuité et la rupture simultanées que produit la Renaissance dans la poésie française s'incarnent dans la filiation marotique qui fait passer de Jean à Clément puis Michel. Le rébus en question est une poésie visuelle, dont le sens est inséparable de son inscription dans la page, marquant ainsi la mutation subie par la poésie (et pas seulement par elle) dans la civilisation du livre par le passage de l'oreille à l'œil.

JACQUES ROUBAUD.

Chanson de geste

LA CHANSON DE ROLAND

1. La trahison

Après sept ans de campagnes victorieuses, Charlemagne a conquis toutes les villes d'Espagne, sauf Saragosse. Par ruse, le roi de cette ville, Marsile, promet de se rendre et envoie une ambassade à Charlemagne. Roland se défie de cette proposition, mais Ganelon, son beau-père, est pour la paix. Roland fait alors désigner Ganelon comme ambassadeur auprès de Marsile. Ganelon, blessé dans son orgueil, décide de se venger (premier extrait). Il trahit et de retour auprès de Charlemagne fait désigner Roland au commandement de l'arrière-garde que les Sarrasins attaqueront dans les défilés.

2. La bataille

Devant l'immensité des troupes sarrasines, Olivier adjure Roland de sonner du cor pour faire revenir Charlemagne. Roland refuse par souci de sa gloire. « Roland est preux et Olivier est sage », souligne le texte (v. 1 093). Fou de bataille, Roland appelle au combat, lequel tourne au désastre. De vingt mille, les chrétiens ne sont plus que soixante. Roland alors décide de sonner du cor malgré les reproches d'Olivier. Il veut que l'on puisse témoigner de sa mort héroïque. Olivier meurt (deuxième extrait), puis les compagnons de Roland (les pairs). Roland succombe le dernier (troisième extrait).

3. Châtiment des païens

Charlemagne arrive trop tard, mais grâce à Dieu qui arrête le soleil, il poursuit et extermine les Sarrasins qui fuyaient. Marsile, blessé, s'est réfugié à Saragosse. Il appelle à l'aide Baligant, l'émir de Babylone. Une bataille immense s'engage à Roncevaux. Elle se termine par un combat singulier entre Charlemagne et l'émir. Charles est vainqueur grâce au soutien de Dieu. Saragosse tombe. La reine Bramidoine, femme de Marsile, est emmenée captive.

4. Le châtiment de Ganelon

Charles rentre en France. Il dépose à Bordeaux sur l'autel de Saint-Seurin l'olifant et à Blaye les dépouilles de Roland, d'Olivier et de Turpin, l'archevêque, puis gagne Aix-la-Chapelle. Aude, sœur d'Olivier, fiancée de Roland, meurt en apprenant la nouvelle de la disparition de ce dernier (quatrième extrait). Le procès de Ganelon commence. Les barons penchent pour l'acquittement. Un jeune chevalier, Thierry, frêle et brun de cheveux et de visage (traits qui ne sont pas des qualités pour le Moyen Age), se propose alors comme champion de Charlemagne face au champion de Ganelon, son parent Pinabel, grand et fort. Thierry remporte la victoire. Dieu, en permettant que le faible triomphe, fait resplendir le droit de Charlemagne. Pinabel et trente de ses parents sont pendus. Ganelon est écartelé. Bramidoine est baptisée et reçoit le nom de Juliane (Julienne). Dieu appelle Charles à de nouvelles guerres. « Ci falt la geste ». Ici s'arrête l'histoire (cinquième extrait).

Désignation de Ganelon comme ambassadeur auprès de Marsile

XX

« Francs chevaliers, dit l'empereur Charles,
Désignez-moi un baron de ma terre
Qui puisse porter mon message à Marsile. »
Roland dit : « Ce sera Ganelon, mon parâtre[1]. »
Les Français disent : « Il peut bien s'en acquitter.
Si vous le récusez, vous n'en aurez pas de plus sage à
[envoyer. »
Et le comte Ganelon en fut tout suffocant.
Il arrache de son col ses grandes fourrures de martre,
Il est resté en sa tunique de soie.
Il avait les yeux vairons et le visage fier,
Le corps bien fait et la poitrine large ;
Il est si beau que tous ses pairs le contemplent.
Il dit à Roland : « Fou, pourquoi t'enrages-tu ?
On sait bien que je suis ton parâtre,
Et pourtant, tu as proposé que j'aille auprès de Marsile.
Si Dieu permet que je revienne de là-bas,
Je te ferai un si grand tort
Qu'il durera autant que toute ta vie. »

1. *Parâtre* : « beau-père ». Selon la tradition, Ganelon aurait épousé en secondes noces, la sœur de Charlemagne (voir laisse XXIII, v. 312), veuve de Milon et mère de Roland. Mais une légende connue au XIe siècle suggère que Roland serait né en fait des relations incestueuses de Charlemagne et de sa sœur.

Roland répond : « J'entends des propos d'orgueil et
On le sait bien, je n'ai cure de menace. [de folie.
Mais c'est un homme sensé qui doit s'acquitter du
[message :
Si le roi veut, je suis prêt à le faire à votre place ! »

XXI

Ganelon répond : « Tu n'iras pas à ma place !
Tu n'es pas mon vassal et je ne suis pas ton seigneur.
Charles commande que je fasse son service :
J'irai à Saragosse auprès de Marsile.
Mais je jouerai quelque tour avant
Que je n'apaise le grand courroux où je suis. »
Quand Roland l'entend, il se met à rire.

XXII

Quand Ganelon voit que Roland s'en rit,
Il en éprouve tant de douleur qu'il est bien près
[d'éclater de colère.
Peu s'en faut qu'il ne perde le sens.
Il dit au comte : « Je ne vous aime pas ;
Vous avez attiré sur moi une injuste décision.
Droit empereur, me voici présent :
Je veux accomplir votre commandement. »

XXIII

« Je sais bien qu'il me faut aller à Saragosse.
Celui qui va là-bas ne peut en revenir.
Par-dessus tout, j'ai pour femme votre sœur,
J'en ai un fils, il n'en peut exister de plus beau,
C'est Baudouin, dit-il, qui sera un preux.
C'est à lui que je lègue mes terres et mes fiefs.
Gardez-le bien : je ne le verrai plus jamais de mes
[yeux. »
Charles répond : « Vous avez le cœur trop tendre,
Puisque je le commande, il faut vous en aller. »

XXIV

Le roi dit : « Ganelon, approchez ;
Recevez le bâton et le gant[1].
Vous l'avez entendu : c'est sur vous que les Francs
[portent leur choix.
— Sire, dit Ganelon, c'est Roland qui a tout fait !
De toute ma vie je ne l'aimerai,
Ni Olivier, parce qu'il est son compagnon.
Les douze Pairs, parce qu'ils l'aiment tant,
Ici, je les défie, sire, sous vos yeux. »
Le roi dit : « Vous avez trop de ressentiment.
Vous irez maintenant, certes, puisque je le commande.
— Je puis bien y aller, mais je n'aurai aucun garant ;
Ni Basile ni son frère Basan n'en eurent[2]. »

XXV

L'empereur lui tend son gant, le droit ;
Mais le comte aurait voulu n'être pas là :
Quand il eut à le prendre, il lui tomba à terre.
Les Français disent : « Dieu, que cela peut-il signifier ?
De ce message, il nous viendra une grande perte.
— Seigneurs, dit Ganelon, vous en entendrez des
[nouvelles ! »

XXVI

« Sire, dit Ganelon, donnez-moi votre congé.
Puisque je dois y aller, il n'y a plus à tarder. »
Le roi dit : « Au nom de Jésus et au mien ! »
De sa main droite, il l'a absous et signé de la croix,
Puis il lui livra le bâton et la lettre.

D'après la traduction de Gérard Moignet.

1. Le bâton et le gant sont des symboles féodaux. En les confiant, le suzerain délègue son autorité. Le vassal, lui, en tendant son gant à son suzerain fait acte d'allégeance.

2. Basile et Basan, ambassadeurs de Charlemagne mis à mort par Marsile.

La Chanson de Roland est parmi les plus anciennes des chansons de geste. Elle a sans doute été composée vers 1100. Le manuscrit qui l'a conservée, manuscrit qui se trouve à la bibliothèque d'Oxford en Angleterre, date, lui, du deuxième quart du XIIe siècle. Décalage caractéristique, pour les premières chansons, entre leur existence orale et leur mise à l'écrit.
La Chanson de Roland s'appuie sur des faits historiques qui se situent plus de trois cents ans auparavant. En l'année 778, Charlemagne qui a entrepris une expédition en Espagne est tenu en échec devant Saragosse. Contraint de rentrer précipitamment en France pour faire face à une révolte des Saxons, il voit son arrière-garde anéantie, le 15 août 778, au passage des Pyrénées par des Basques ou des Gascons. L'événement a donné naissance à une légende.
La Chanson de Roland, telle que nous la possédons, a profondément modifié ces données de base. Elle élève une péripétie peu glorieuse d'une campagne en un choc formidable où s'affrontent le bien et le mal. « Les païens ont le tort, et les chrétiens, le droit », dit la *Chanson* (v. 1 015). Les montagnards basques sont devenus des Sarrasins. La guerre de Charlemagne, d'une expédition militaire visant à aider un chef musulman en révolte contre l'émir de Cordoue, s'est transformée en une guerre contre l'Infidèle. Son enjeu est la Chrétienté. Ces modifications traduisent un état d'esprit qui est celui du XIe siècle. Face à un Islam qui menace l'Occident chrétien, l'Église appelle à la reconquête. La première croisade est prêchée en 1095. Le système féodal enfin dont la royauté capétienne prend en ces temps progressivement la tête a la nostalgie du IXe siècle et de l'empire de Charlemagne.
L'œuvre se caractérise par sa symétrie, ses parallélismes. Scènes, personnages, lieux, objets se répondent du monde païen au monde chrétien dans une vision antithétique, manichéenne. A l'intérieur de chaque sphère, se dédoublent également les situations, les personnages (Roland et Olivier), les objets (le bâton et le gant). Ces parallélismes, par la vision schématique et pathétique qu'ils donnent du monde, ont valeur d'enseignement.

Mort d'Olivier

CXLVI

Olivier sent qu'il est frappé à mort.
Il tient Hauteclaire[1], dont l'acier est brillant,
Il frappe Marganice[2] sur le heaume aigu, doré,
En fait tomber les fleurs et les cristaux.
Il lui tranche la tête jusqu'aux dents de devant,
Il secoue sa lance, il l'a abattu mort ;
Puis il dit : « Païen, maudit sois-tu !
Je ne dis pas que Charles n'ait pas perdu de monde,
Mais tu ne te vanteras pas, auprès d'une femme
Ou d'une dame que tu aies vue, dans le royaume d'où
Que tu m'aies pris la valeur d'un denier, [tu étais,
Ni fait de tort à moi ni à personne d'autre. »
Puis il crie à Roland qu'il vienne l'aider.

CXLVII

Olivier sent qu'il est blessé à mort.
Il ne sera jamais rassasié de se venger.
Maintenant il frappe comme un baron dans la grande
[mêlée,
Il taille en pièces les lances et les boucliers,
Les pieds, les poings, les selles, les flancs des chevaux.

1. Signe de leur importance, les épées, comme les chevaux, ont des noms propres dans les chansons de geste. Ainsi dans *Roland*, à *Joyeuse*, épée de Charlemagne, répond *Précieuse*, épée de l'émir Baligant. On retrouve, orchestrée dans les moindres détails, l'opposition du monde païen et du monde chrétien. *Joyeuse* évoque en effet une qualité morale, la joie, alors que *Précieuse* ne renvoie qu'à une valeur matérielle, marchande. Hauteclaire est l'épée d'Olivier, Durendal celle de Roland.

2. *Marganice*, oncle de Marsile est le chef des peuples de Carthage et d'Éthiopie. Il est à la tête d'une armée de 50 000 Noirs, à l'aspect effrayant. C'est lui qui a frappé Olivier, par traîtrise, dans le dos.

Qui l'aurait vu mutiler les Sarrasins,
Jeter un mort sur l'autre,
Pourrait garder souvenir d'un bon vassal.
Il ne veut pas oublier l'enseigne de Charles :
Il crie Monjoie[1] à haute et claire voix,
Il appelle Roland, son ami et son pair :
« Seigneur compagnon, venez donc tout près de moi !
A grande douleur, aujourd'hui nous serons séparés. »

CXLVIII

Roland regarde Olivier au visage ;
Il était blême, livide, décoloré et pâle.
Son sang tout clair lui coule sur le corps ;
Les caillots en tombent à terre.
« Dieu, dit le comte, je ne sais que faire.
Seigneur compagnon, quel malheur pour votre [vaillance !
Il n'y aura jamais d'homme qui te vaille.
Eh ! douce France, comme tu resteras aujourd'hui [dégarnie
De bons vassaux, abattue et déchue !
L'empereur en aura grand dommage. »
A ce mot, il s'évanouit sur son cheval.

CXLIX

Voilà Roland évanoui sur son cheval
Et Olivier qui est blessé à mort.
Il a tant saigné que ses yeux en sont troublés.
Ni de loin ni de près il ne peut voir assez clair
Pour pouvoir reconnaître aucun mortel.
Comme il a rencontré son compagnon,
Il le frappe en haut sur le heaume aux gemmes serties [dans l'or,
Il le lui fend jusqu'au nasal,
Mais il ne l'a pas touché à la tête.
A ce coup, Roland l'a regardé,

1. *Monjoie :* cri de guerre de Charlemagne.

Il lui demande doucement, gentiment :
« Seigneur compagnon, le faites-vous de votre gré ?
C'est Roland, qui vous aime tant !
Vous ne m'aviez nullement défié. »
Olivier dit : « Maintenant je vous entends parler.
Je ne vous vois pas : que le Seigneur Dieu vous voie !
Je vous ai frappé ; pardonnez-le-moi ! »
Roland répond : « Je n'ai aucun mal.
Je vous le pardonne ici et devant Dieu. »
A ce mot, ils s'inclinent l'un vers l'autre.
C'est dans un tel amour que les voici séparés.

CL

Olivier sent que la mort l'angoisse fortement.
Les deux yeux de la tête lui tournent,
Il perd toute l'ouïe et la vue ;
Il met pied à terre, se couche sur le sol,
Durement, à haute voix, il confesse ses péchés,
Les deux mains jointes vers le ciel,
Il prie Dieu qu'il lui donne le paradis
Et bénit Charles, la douce France
Et, plus que tous les hommes, son compagnon Roland.
Le cœur lui manque, son heaume retombe,
Tout son corps se joint à la terre.
Le comte est mort, il ne peut vivre davantage.
Roland le preux le pleure, épanche sur lui sa douleur ;
Jamais sur terre vous n'entendrez homme plus affligé.

CLI

Roland voit que son ami est mort,
Qu'il est étendu la face contre terre.
Il se met, bien doucement, à lui dire le dernier adieu :
« Seigneur compagnon, quel malheur pour votre
[hardiesse !
Nous avons été ensemble pendant des années et des
[jours,

Jamais tu ne m'as fait de mal, et moi, jamais je ne
[t'ai fait tort.
Quand tu es mort, il m'est douloureux de vivre. »
A ce mot, le marquis[1] s'évanouit
Sur son cheval qu'il appelle Veillantif[2].
Il est affermi sur ses étriers d'or fin ;
De quelque côté qu'il aille, il ne peut tomber.

D'après la traduction de Gérard Moignet.

Les grands idéaux

Les textes médiévaux ne nous décrivent pas tellement les professionnels de l'écriture, les poètes de cour, et rares sont les témoignages qu'on a sur leur vie quotidienne. Si les anthologies des grands troubadours occitans sont précédées de *vidas*, ce sont des biographies largement postérieures, et teintées de légende, dont on ne tire que peu d'éléments dignes de foi.
C'est que pour l'homme du Moyen Age, avant d'être poète, on est un héros. Selon des conceptions du génie issues de l'Antiquité, le héros est frappé du destin (du *fatum* latin) qui fait de lui un homme à part : il a la connaissance de secrets universels cachés. Son exceptionnelle nature se manifeste par toutes sortes de qualités : savoir démesuré (mathématiques, astronomie), qualités de cœur, exceptionnelle beauté et talents artistiques (musique et poésie).
Tristan est l'exemple de ces héros : il introduit au royaume de son oncle Marc le raffinement breton, avec la harpe, les nobles idéaux chevaleresques, la courtoisie. Mais le Moyen Age fait dériver de cette connaissance divine du « Beau » des qualités plus surprenantes : l'art de jouer aux échecs, de connaître la valeur des pierres précieuses et de découper le gibier !

1. *Marquis :* titre de Roland. Le mot dérive du mot *marche*. Roland est comte de la marche (province frontière) de Bretagne.
2. *Veillantif :* nom du cheval de Roland. Le mot est composé des deux adjectifs laudatifs, pour le Moyen Age, *viel* et *antif* (antique). L'éloignement dans le passé donne valeur aux choses, aux châteaux, aux cités aux yeux des hommes du Moyen Age.

Mort de Roland

CLXVIII

Roland sent que la mort est proche ;
La cervelle lui sort par les oreilles.
Il prie pour ses pairs, que Dieu les appelle,
Et pour lui-même, il implore l'ange Gabriel.
Il prend l'olifant pour n'encourir aucun reproche,
Et, dans l'autre main, Durendal son épée.
Un peu plus loin qu'une portée d'arbalète,
Vers l'Espagne, il va dans un guéret.
Il monte sur un tertre ; sous deux beaux arbres,
Il y a quatre blocs de marbre.
Sur l'herbe verte, il est tombé à la renverse,
Il s'est évanoui, car sa mort est proche.

CLXIX

Hauts sont les monts, très hauts sont les arbres ;
Il y a quatre blocs de marbre luisant.
Sur l'herbe verte, le comte Roland s'évanouit.
Un Sarrasin pendant ce temps l'épie :
Il a fait le mort, il est étendu parmi les autres,
Il a barbouillé de sang son corps et son visage ;
Il se met debout et se hâte d'accourir.
Il était beau, fort et de grand courage ;
Par orgueil, il entreprend une folie mortelle :
Il s'empare de Roland, de son corps et de ses armes,
Et s'écrie : « Il est vaincu, le neveu de Charles !
J'emporterai cette épée en Arabie. »
Comme il tirait, le comte reprit un peu ses sens.

CLXX

Roland sent qu'il lui prend son épée,
Il ouvre les yeux et lui dit un mot :

« A ce qu'il me semble, tu n'es pas des nôtres. »
Il tient l'olifant, qu'il n'a jamais voulu abandonner,
Il l'en frappe sur son heaume, orné de pierres et d'or,
Il brise l'acier, la tête et les os,
Il lui fait sortir les deux yeux de la tête
Et le renverse, mort, à ses pieds.
Puis il lui dit : « Vilain, qui t'a rendu si osé
De porter la main sur moi, à droit ou à tort ?
Nul ne l'entendra dire qui ne t'en tienne pour fou.
Mon olifant en est fendu au gros bout,
Tombés en sont le cristal et l'or. »

CLXXI

Roland sent qu'il a perdu la vue ;
Il se met debout et autant qu'il le peut rassemble ses
Son visage est tout décoloré. [forces ;
Devant lui, il y a une pierre bise.
Il y frappe dix coups, de chagrin et de colère.
L'acier grince, il ne se brise ni ne s'ébrèche.
« Sainte Marie, dit le comte, à l'aide !
Ah ! Durendal, ma bonne épée, quelle pitié de vous !
Puisque je perds la vie, je n'ai plus désormais la charge
[de vous.
J'ai gagné par vous tant de batailles en rase campagne
Et conquis tant de vastes terres
Que tient Charles à la barbe chenue !
De mon vivant, vous ne me serez pas enlevée.
Ne soyez jamais à qui fuit devant un autre.
Un bon guerrier vous a pendant longtemps tenue ;
Jamais plus il n'y en aura semblable en France, terre
[bénie. »

CLXXII

Roland frappe sur le rocher de sardoine[1].

1. *Sardoine :* onyx de Sardaigne.

L'acier grince, il ne se brise ni ne s'ébrèche.
Quand il voit qu'il ne peut la briser,
Il se met à la plaindre en lui-même :
« Ah ! Durendal, comme tu es claire et brillante,
Comme tu reluis et flamboies au soleil !
Charles était dans les vallées de Maurienne
Quand Dieu du ciel lui manda par son ange
Qu'il te donnât à un comte capitaine ;
Alors le noble roi, le grand, me la ceignit.
Avec elle, je lui conquis Anjou et Bretagne,
Je lui conquis le Poitou et le Maine,
Je lui conquis la libre Normandie,
Je lui conquis la Provence et l'Aquitaine,
Et la Lombardie et toute la Romagne,
Je lui conquis la Bavière et toute la Flandre,
Et la Bourgogne et toute la Pologne,
Constantinople, dont il reçut l'hommage,
Et la Saxe, dont il est souverain maître.
Je lui conquis l'Écosse et l'Islande,
L'Angleterre, qu'il tient à son domaine privé.
Que de pays, que de terres j'ai conquis,
Que tient Charles qui a la barbe blanche !
Pour cette épée, je souffre et me tourmente :
J'aime mieux mourir que de l'abandonner aux païens.
Seigneur Dieu, notre père ne laissez pas la France se
[déshonorer ainsi ! »

CLXXIII

Roland frappe sur une pierre bise.
Il en abat plus que je ne saurais dire.
L'épée grince, mais ne s'ébrèche ni ne se brise ;
Elle rebondit en haut vers le ciel.
Quand le comte voit qu'il ne la brisera pas,
Il la plaint bien tendrement en lui-même :
« Ah ! Durendal, comme tu es bonne et sainte !

Dans ton pommeau d'or sont de nombreuses reliques,
Une dent de saint Pierre, du sang de saint Basile,
Des cheveux de monseigneur saint Denis,
Du vêtement de sainte Marie ;
Il n'est pas juste que des païens te possèdent ;
Tu dois être servie par des chrétiens.
Ne sois jamais à un lâche !
Que de vastes terres j'aurai conquises grâce à vous,
Que tient Charles, qui a la barbe fleurie !
L'empereur en est puissant et riche. »

CLXXIV

Roland sent que la mort le prend tout entier,
Qu'elle lui descend de la tête au cœur.
Il court sous un pin,
Il se couche sur l'herbe verte, la face contre terre ;
Il place sous lui son épée et l'olifant,
Il tourne la tête du côté des païens ;
Il le fait ainsi parce qu'il veut
Que Charlemagne et tous ses hommes
Disent que le noble comte est mort en conquérant.
Il bat sa coulpe à de nombreuses reprises,
Pour ses péchés, il offre à Dieu son gant.

CLXXV

Roland sent que son temps est fini ;
Il est couché au sommet d'un pic, tourné vers [l'Espagne.
D'une main, il se frappe la poitrine :
« Dieu, *mea culpa* à l'adresse de tes Vertus,
Pour mes péchés, grands et petits,
Que j'ai faits depuis l'heure où je suis né
Jusqu'à ce jour où la mort m'atteint. »
Il tend à Dieu son gant droit,
Les anges du ciel descendent vers lui.

CLXXVI

Le comte Roland est couché sous un pin,
Il a tourné son visage vers l'Espagne.
Il se prend à se souvenir de plusieurs choses,
De tant de terres qu'il a conquises en baron,
De la douce France, des hommes de son lignage,
De Charlemagne son seigneur qui l'a élevé[1].
Il ne peut s'empêcher d'en pleurer et d'en soupirer.
Mais il ne veut pas se mettre en oubli lui-même.
Il bat sa coulpe et demande à Dieu pardon :
« Véritable Père qui jamais ne mentis,
Toi qui as ressuscité saint Lazare d'entre les morts,
Qui as préservé Daniel des lions,
Préserve mon âme de tous périls
Où m'ont mis les péchés que j'ai faits en ma vie ! »
Il offrit son gant droit à Dieu.
Saint Gabriel l'a pris de sa main.
Sur son bras, il tenait la tête inclinée,
Les mains jointes, il est allé à sa fin.
Dieu lui envoya son ange Chérubin
Et saint Michel du Péril ;
Avec eux, vint saint Gabriel.
Ils emportent l'âme du comte en paradis.

> La chanson de geste est faite de reprises et d'échos, fils jetés et retissés, modulations. Art de la voix, art de la mémoire, que l'on saisit de manière exemplaire dans cet épisode de la mort de Roland.

1. Après le « regret » de Durendal, son épée, Roland, au seuil de la mort, adresse une pensée d'adieu à ses compagnons. Mais il est une grande absente : Aude, sa fiancée. La femme, en dehors de la question des alliances, ne fait pas partie de l'horizon mental des chansons de geste les plus anciennes. Aude n'apparaît dans *La Chanson de Roland* que pour mourir.

Mort d'Aude

CCLXVIII

L'empereur est revenu d'Espagne,
Il vient à Aix, la meilleure place de France[1].
Il monte au palais, il entre dans la salle.
Voici venir à lui Aude, une belle demoiselle.
Elle dit au roi : « Où est Roland le capitaine,
Qui a juré de me prendre pour sa compagne ? »
Charles en a douleur et peine,

1. *France*, dans *La Chanson de Roland*, désigne souvent tout l'empire carolingien, dont Aix-la-Chapelle devint la capitale sous le règne de Charlemagne.

Il pleure de ses yeux, tire sa barbe blanche :
« Sœur, chère amie, tu me demandes des nouvelles
[d'un homme mort.
Je te donnerai en échange un fiancé encore plus
[prestigieux ;
Ce sera Louis, je ne saurais mieux dire :
Il est mon fils, un jour il tiendra mon royaume. »
Aude répond : « Cette parole est pour moi bien
[étrange.
Ne plaise à Dieu, ni à ses saints, ni à ses anges,
Qu'après Roland je reste en vie ! »
Elle perd ses couleurs, elle tombe aux pieds de
[Charlemagne ;
Elle meurt sur-le-champ. Dieu ait pitié de son âme !
Les barons français en pleurent et la plaignent.

Tapisserie de la reine Mathilde, XIIe s. (détail).

CCLXIX

Aude la belle est allée à sa fin.
Le roi croit qu'elle est seulement évanouie.
Il en a pitié, il en pleure, l'empereur.
Il la prend par les mains et la relève.
Elle a la tête inclinée sur les épaules.
Quand Charles voit qu'elle est morte,
Il appelle aussitôt quatre comtesses.
Aude est portée dans un monastère de nonnes.
On la veille toute la nuit, jusqu'au lever du jour,
Puis on lui fait, devant un autel, une belle sépulture.
Le roi lui a rendu de très grands honneurs.

Ci falt la geste...

CCXCI

Quand l'empereur a fait sa justice
Et apaisé son grand courroux,
Il a mis la foi chrétienne en Bramidoine.
Le jour passe, la nuit est tombée,
Le roi s'est couché dans la chambre voûtée.
Saint Gabriel vient lui dire de par Dieu :
« Charles, convoque les armées de ton empire !
Tu iras de vive force en la terre de Bire[1],
Tu secourras le roi Vivien à Imphe,
La cité que les païens ont assiégée :
Les chrétiens te réclament et t'appellent. »
L'empereur voudrait ne pas y aller :
« Dieu, dit le roi, ma vie est si chargée de peines ! »
Il pleure de ses yeux, tire sa barbe blanche.
Ici s'arrête l'histoire que Turold achève.

1. *Terre de Bire :* pour certains critiques, il s'agirait de l'Épire où les Normands firent campagne en 1083-1085. Imphe pourrait être Amphion en Épire, aujourd'hui Durazzo.

Troubadours

GUILLAUME IX

A la douceur du temps nouveau...

A la douceur du temps nouveau,
Les bois feuillissent et les oiseaux
Chantent, chacun en son latin,
Selon les strophes d'un chant nouveau.
Il est donc juste de se procurer
Ce que l'homme désire le plus.

De là d'où tout m'est bon et beau,
Je ne vois venir messager ni lettre scellée ;
Aussi mon cœur ne dort et ne rit
Et je n'ose faire un pas en avant
Avant de savoir si la fin
Sera celle que je désire.

Il en est de notre amour
Comme de la branche de l'aubépine
Qui est sur l'arbre, tremblante,
La nuit, dans la pluie et le gel,

Jusqu'au lendemain, quand le soleil se répand
A travers les feuilles vertes sur le rameau.

Je me souviens encore de ce matin
Où nous avons mis fin à la guerre,
Où elle m'a donné ce don si grand,
Son amour entier et son anneau.
Que Dieu me laisse vivre encore tant
Que j'ai mes mains sous son manteau.

Je n'ai nul souci du babil des autres,
Qui pourrait me séparer de mon Bon Voisin.
Je sais ce qu'il en est des paroles
Et de ces brefs discours qui vont se répandant.
Tels autres peuvent se vanter d'amour,
Nous, nous en avons la pièce et le couteau[1].

D'après la traduction de Jacques Roubaud.

Le senhal, ici *Bon Voisin*, est le nom secret qui désigne la dame du poète. Ce nom est secret peut-être pour des raisons contingentes (éviter l'action des médisants, des *losengiers* dans la poésie provençale). Il l'est surtout essentiellement, car tel un emblème, il dit l'essence de la dame, il en propose une définition.
On remarque que le senhal comme l'expression *mi dons* (« mon seigneur »), par lesquels le poète s'adresse à sa dame, sont des masculins. Calque du service amoureux sur le service féodal ? Influence de la poésie des Arabes d'Espagne ? La dame du poète n'est qu'un nom.

1. La pièce (le morceau) et le couteau, c'est-à-dire tout ce qu'il faut pour manger, « nous sommes bien servis ».

JAUFRÉ RUDEL

Lorsque les jours sont longs en mai...

Lorsque les jours sont longs en mai,
Il me plaît le chant des oiseaux, lointain ;
Et quand je me suis éloigné de là,
Il me souvient d'un amour lointain.
Je vais courbé et incliné de désir,
Si bien que chant ni fleur d'aubépine
Ne me plaisent plus que l'hiver gelé.

Jamais d'amour je ne jouirai
Si je ne jouis de cet amour lointain,
Car femme plus gracieuse ni meilleure je ne sais,
En aucun lieu, ni près ni loin.
Tant est sa valeur vraie et fine
Que là-bas, au royaume des Sarrasins,
Pour elle, je voudrais être captif.

Triste et joyeux, je m'en séparerai
Quand je verrai cet amour de loin.
Mais je ne sais quand je la verrai,
Car trop sont nos terres loin,
Il y a tant de passages, de chemins,
Et moi, je ne suis pas devin,
Mais que tout soit comme il plaît à Dieu.

Je verrai la joie quand je lui demanderai,
Pour l'amour de Dieu, d'héberger l'hôte lointain.
Et s'il lui plaît, je serai hébergé

Près d'elle, moi qui suis lointain.
Alors viendra l'entretien fidèle,
Amant lointain, je serai proche,
De ses paroles, je savourerai la jouissance.

Je tiens vraiment le Seigneur pour vrai
Par qui je verrai l'amour de loin.
Mais pour un bien qui m'en échoit
J'en ressens deux maux, car elle m'est si loin.
Ah ! que je voudrais être là-bas pèlerin
Pour que ma cape et mon bâton,
Par ses beaux yeux, soient contemplés.

Dieu qui fit tout ce qui vient et va,
Et forma cet amour de loin,
Me donne le pouvoir, j'en ai le cœur,
De bientôt voir l'amour de loin,
Véritablement en tel lieu
Que la chambre et le jardin
Me paraissent, tout le temps, palais.

Il dit vrai qui me dit avide
Et désirant l'amour de loin
Car aucune autre joie ne me plaît autant
Que jouir de l'amour de loin.
Mais ce que je veux m'est dénié
Car ainsi m'a doté mon parrain,
Que j'aime et je ne suis pas aimé.

Mais ce que je veux m'est dénié.
Qu'il soit donc maudit le parrain
Qui m'a fait tel que je ne suis pas aimé.

D'après la traduction de Jacques Roubaud.

Dans cette chanson de l'amour de loin, les mots *de lonh* (de loin, que nous avons traduits par *de loin, loin* ou *lointain*) terminent les vers 2 et 4 de chaque strophe, formant un lancinant refrain. Mélancolie de l'amour impossible.

BERNARD DE VENTADOUR

Quand je vois l'alouette bouger...

Quand je vois l'alouette bouger,
De joie, ses ailes à contre-jour dans un rayon de soleil,
S'évanouir, se laisser tomber
De la douceur qui au cœur lui va,
Ah ! tant grande envie m'en vient
De ceux que je vois jouir de leur amour !
Je m'étonne qu'aussitôt
Le cœur de désir ne me fonde.

Hélas ! je croyais tant savoir
D'amour, et j'en sais si peu !
Je ne peux me retenir d'aimer
Celle dont je n'aurai jamais rien.
Elle m'a pris mon cœur, et moi,
Elle-même et le monde entier ;
Et si elle me prive, je n'ai rien
Que désir et cœur envieux.

Je n'ai plus eu sur moi pouvoir
Ni ne fut mien, dès le moment
Qu'elle me laissa en ses yeux voir
En un miroir qui tant me plaît.
Miroir, depuis que je me suis miré en toi,
M'ont tué les soupirs profonds,
Et je me perds comme se perdit
Le beau Narcisse à la fontaine.

Des dames, je désespère ;
Je ne me fierai plus en elles.
Autant je les exaltais,
Autant je les abaisserai maintenant
Puisque je vois que rien ne m'aide
Contre celle qui me détruit, me ruine.
Je les crains toutes, de toutes je me défie,
Car je sais qu'elles sont toutes semblables.

Elle me semble femme en cela,
Ma dame, et je le lui reproche.
Elle ne veut ce qu'on doit vouloir,
Et ce qui ne se doit, elle fait.
Je suis tombé en défaveur,
J'ai fait comme le fou sur le pont[1].
Je ne sais pourquoi cela m'arrive,
Si ce n'est d'avoir visé trop haut.

Vraiment la pitié est perdue,
Et je ne le savais pas encore.
Celle qui en devrait plus avoir
N'en a pas, et où la chercher ?
Ah ! comment croire, qui la voit,
Que le malheureux qui la désire,

1. Allusion à un proverbe. Le fou sur le pont tombe, qui néglige, à l'inverse du sage, de descendre de cheval.

Qui sans elle n'aura nul bien,
Elle laisse mourir sans aide !

Puisqu'à ma dame ne valent pas
Prières, pitié, ni les droits que j'ai,
Puisqu'il ne lui est d'aucun plaisir
Que je l'aime, je me tairai.
Je la quitte, cesse de servir,
Mis à mort, par mort, je réponds.
Je m'en vais sans qu'elle me retienne,
Malheureux, en exil, je ne sais où.

Tristan[1], vous n'aurez plus rien de moi,
Je m'en vais malheureux, je ne sais où,
Je cesse de chanter, de servir.
De la joie, de l'amour, je me cache.

D'après la traduction de Jacques Roubaud.

Le poète ouvre la chanson sur une strophe printanière, mais réduite à une image merveilleuse, celle de l'alouette s'élançant dans un rayon de soleil. A la joie du printemps que manifeste l'oiseau, à son extase amoureuse (elle s'oublie soi-même, « s'évanouit », dit le poète), celui-ci oppose sa tristesse.
Cette pièce offre le thème du miroir mortel que sont les yeux de la dame, miroir qui renvoie à l'amant son propre désir, la dame restant insensible. La comparaison du poète avec Narcisse dit l'essence de cet amour sans écho.

1. *Senhal* de la dame.

J'ai entendu la douce voix...

J'ai entendu la douce voix
Du rossignolet sauvage
Et elle est entrée au fond de mon cœur,
Si bien qu'elle adoucit et apaise
Les soucis et les tourments
Qu'Amour me donne.
Et j'aurai bien besoin, en effet,
De la joie des autres, dans mon malheur.

Il mène une vie misérable,
Celui qui ne demeure dans la joie
Et qui ne guide point vers Amour
Son cœur et ses désirs ;
Car tout ce qui existe s'abandonne
A la joie, et chante et résonne :
Prés et enclos et vergers,
Landes, plaines et bocages.

Moi, hélas ! qu'Amour oublie
Parce que je suis hors du droit chemin,
J'aurais pu avoir ma part de joie
Si la douleur ne m'en empêchait.
Et je ne sais où me cacher
Puisqu'elle me gâte la joie.
Ne me tenez donc pas pour léger
Si je dis quelque vilenie.

Une fausse et perfide
Traîtresse, de mauvais lignage,
M'a trahi et s'est trahie elle-même,
Cueillant ainsi la branche dont elle se frappe ;
Et quand un autre la sermonne,

Elle m'accuse de son propre tort.
Les derniers venus obtiennent plus d'elle
Que moi qui ai fait, en vain, si longue attente.

Je l'avais servie très courtoisement
Jusqu'à ce que son cœur devînt envers moi volage ;
Et puisqu'elle ne m'est pas destinée,
Je serais bien fou si je la servais davantage.
Service sans récompense
Et « espérance bretonne[1] »,
Par habitude et usage,
Font d'un seigneur un écuyer.

Puisqu'elle a tant failli envers moi,
J'abandonne sa seigneurie ;
Je ne veux plus de son intimité
Ni ne désire parler d'elle plus longtemps.
Pourtant, lorsque quelqu'un me parle d'elle,
Ses paroles me sont agréables.
Je m'en réjouis volontiers
Et mon cœur en est plein de joie.

Que Dieu accorde un mauvais sort
A celui qui complote de méchants messages,
Car j'aurais pu jouir d'amour
Si n'existaient les médisants.
Fou est qui dispute avec sa dame !
Car je lui pardonne si elle me pardonne.
Et tous sont menteurs
Qui m'ont fait dire sur elle folie.

Porte pour moi cette chanson, Corona[2],

1. Allusion à l'attente légendaire des Bretons qui espéraient le retour du roi Arthur.
2. Nom du jongleur messager.

A ma dame, là-bas, à Narbonne,
Car tous ses actes sont si parfaits
Qu'on ne peut dire sur elle folie.

Le maître mot de cette pièce est *joi*, la joie mais aussi le jeu, mais aussi le prix, la valeur. On sait que le mot est une énigme étymologique en provençal. *Joi* vient-il de *gaudium* (la joie), de *joculus* (le jeu), est-il en rapport avec *jocalis* (les joyaux) ?
Le poète voudrait connaître la joie, mais sa dame est infidèle et il s'emporte. La strophe printanière ne s'ouvre plus sur le vol d'une alouette dans le soleil, mais sur le chant d'un rossignol, la nuit. Désespoir.
Mais « je lui pardonne si elle me pardonne ». L'amour est le plus fort.

BERTRAND DE BORN

Des vieux et des jeunes

Sirventès

J'aime quand je vois changer les seigneuries,
Les vieux abandonner aux jeunes leurs maisons,
Que chacun puisse laisser en son lignage
Assez de fils pour qu'un au moins soit digne.
Alors je sens que le monde se renouvelle
Mieux que par des fleurs ou des chants d'oiseaux.
Et celui qui peut changer de seigneur ou de dame,
Vieux, en jeune, il se renouvellera.

Je tiens pour vieille une dame même quand elle porte
[un chapeau[1],
Elle est vieille si elle n'a pas de chevalier,
Vieille si elle se contente de deux amants,
Vieille si un homme vil lui fait l'amour.
Je la dis vieille si elle aime dans son château,
Vieille si elle a besoin d'apprêts,
Vieille si les jongleurs l'irritent.
Et elle est vieille si elle parle trop.

Une dame est jeune si elle honore les gens de haute
[naissance,
Elle est jeune par bonnes actions, si elle en fait ;
Elle reste jeune si son cœur est droit,
Si ses actes sont plus nobles que vils.
Elle est jeune si elle garde beau son corps,
Elle est jeune dame si elle se conduit bien,
Jeune quand elle ne cherche pas à tout savoir,
Et jeune si avec un beau jeune homme elle ne se
[conduit pas mal.

Un homme est jeune s'il met son bien en gage,
Il est jeune quand il est dépourvu de tout,
Jeune si par hospitalité, il dépense,
Jeune quand il fait des dons extravagants,
Jeune quand il brûle coffres et récipients,
Jeune quand il organise mêlées, joutes et tournois ;
Il est jeune s'il aime courtiser les dames,
Jeune, quand il est bien aimé des jongleurs.

Vieux est l'homme riche qui ne met rien en gage
Et garde son blé, son vin et ses jambons.
Pour vieux je le tiens s'il offre œufs et fromages

1. Sans doute faut-il comprendre : elle porte un chapeau pour dissimuler sa vieillesse.

Les jours gras à lui-même et à ses compagnons,
Vieux quand il porte une chape par-dessus son
[manteau,
Et vieux s'il a un cheval qu'il tient pour son bien
[propre.
Il est vieux quand il veut un seul jour rester en paix,
Vieux s'il veut accorder son soutien sans dépenser.

Porte mon sirventès vieil et nouveau,
Jongleur Arnaud, à Richard[1], pour qu'il le protège ;
Et qu'il n'ait jamais envie d'amasser un vieux trésor,
Mais qu'il gagne la gloire avec un trésor jeune.

D'après la traduction de Jacques Roubaud.

Vieillesse et jeunesse, pour le Moyen Age, relèvent moins de l'âge effectif que de qualités ou de défauts moraux. Est jeune le noble généreux, qui dépense, qui fait circuler les richesses, vieux celui qui thésaurise. Est jeune la dame qui aime et honore les gens de bonne naissance, vieille celle qui se claquemure dans son château et ferme sa porte aux jongleurs.
Pour comprendre cette attitude, il n'est pas inutile de rappeler le statut sociologique de Bertrand de Born. Petit noble, chevalier pauvre, il a, de même que les jongleurs, si ce n'est au même titre, besoin de la générosité des grands seigneurs. Il vit de la guerre qu'il exalte dans ses sirventès (poèmes satiriques, voir Commentaires, p. 226), de la révolte des fils contre les pères (notamment celle des princes anglais contre leur père Henri II). Cela lui vaudra d'être placé par Dante dans son enfer, tête coupée, et ce dernier lui fait dire : « Pour avoir divisé ceux que la nature avait unis, je porte ma tête séparée, hélas ! de son principe qui reste enfermé dans ce tronc. Ainsi s'observe en moi la loi du Talion. » (*Enfer*, chant XXVIII.)

1. Richard Ier Cœur de Lion, dont Bertrand de Born prit le parti contre Philippe Auguste.

LA COMTESSE DE DIE

J'ai été dans une dure angoisse...

J'ai été dans une dure angoisse
Pour un chevalier que j'ai eu
Et je veux qu'il soit su en tous les temps
Que je l'aimais par-dessus tout.
Mais je vois que je suis trahie
Car je ne lui donnai pas mon amour.
J'ai été en grande erreur
Au lit comme toute vêtue.

Je voudrais tant mon chevalier
Tenir un soir entre mes bras, nu,
Et qu'il se trouve comblé
Que je lui serve de coussin.
Je suis plus amoureuse de lui
Que jamais Flore de Blanchefleur[1].
Je lui donne mon cœur, mon amour,
Mon sens, mes yeux et ma vie.

Bel ami, charmant et bon,
Quand vous tiendrai-je en mon pouvoir,
Quand coucherai-je avec vous un soir,
Vous donnant un baiser amoureux ?
Sachez que j'ai grand désir
De vous à la place du mari,

1. Allusion au *Conte de Floire et Blancheflor*, histoire de deux enfants, nés le même jour, et qui s'aiment. Malgré toutes les embûches, ils réussiront à s'épouser.

Pourvu que vous m'ayez promis
De faire tout à mon bon vouloir.

D'après la traduction de Jacques Roubaud.

Poème du désir charnel que, plus encore que ses confrères en poésie, la comtesse de Die chante dans une émouvante nudité. On notera que la poétesse, dans la comparaison de son amour avec celui de Flore et Blanchefleur, assume la place de l'homme.

PEIRE VIDAL

En respirant je hume l'air...

En respirant je hume l'air
Que je sens venir de Provence.
Tout ce qui vient de là-bas me plaît
Et quand j'en entends dire du bien,
Je l'écoute en souriant,
Et demande, pour un mot, cent,
Tant me plaît le bien qu'on en peut dire.

On ne connaît plus douce contrée
Que celle qui va du Rhône à Vence,
Qu'enclosent la mer et la Durance,
Pas une où tant de pure joie s'éclaire.
Aussi parmi ce noble peuple

Ai-je laissé mon cœur joyeux
Près de celle qui rend le sourire aux malheureux.

On ne peut regretter le jour
Où on a d'elle souvenance,
En elle la joie naît et commence.
N'importe qui, s'il la loue,
Du bien qu'il en dit ne ment.
La meilleure elle est, sans discussion,
Et la plus noble qui se voie au monde.

Si je sais dire ou faire rien qui vaille,
A elle l'honneur, car science
Elle m'a donnée, et connaissance.
Je lui dois ma joie et mon chant.
Et tout ce que je compose de bon
Jusqu'à ce que je médite en mon cœur,
Me vient de son beau corps plaisant.

La Provence et la dame sont pour le poète éloigné une seule et même source d'amour et de poésie : « Tout ce qui vient de là-bas me plaît », dit-il. Et Peire Vidal de proposer en des vers d'une musicalité superbe une définition de cette Provence chimérique, jardin clos qu'enferment la mer et la Durance, paradis sur terre, lieu de la *joie*.
Banni plus tard par son seigneur, Raimond V de Toulouse, de cette Provence qu'il aime, parti en Terre sainte, le poète n'aspire qu'à « retourner, à venir en hâte entre Arles et Toulon, en cachette », pour « mourir comme un lièvre au gîte ».

PEIRE CARDENAL

Le milan ni le vautour...

Sirventès

Le milan ni le vautour
Ne flairent pas plus vite une charogne puante
Que les clercs et les prêcheurs
Ne flairent la demeure du riche.
Ils s'introduisent dans son intimité ;
Et quand la maladie le terrasse,
Ils lui font faire une donation telle
Que ses parents n'ont plus rien.

Les Français et les clercs sont approuvés
Du mal qu'ils font parce qu'il leur réussit.
Les usuriers et les traîtres,
De la même manière, se partagent le monde.
Par leurs mensonges, par leurs tromperies,
Ils ont si bien troublé toute la terre,
Qu'il n'y a plus un seul ordre religieux
Qui connaisse sa règle.

Sais-tu ce que devient la richesse
De ceux qui l'ont mal acquise ?
Un grand voleur viendra
Qui ne leur laissera rien.
Ce voleur, c'est la Mort qui les abat,
Et, avec quatre aunes de toile,
Les envoie dans certaine maison,
Où ils sont comblés de maux.

Homme, quelle est ta folie,
De transgresser les ordres
De Dieu, ton seigneur,
Qui t'a tiré du néant !
Celui-là tient la truie au marché[1]
Qui lutte avec Dieu.
Il aura la récompense
Qu'eut Judas le félon.

Vrai Dieu, plein de douceur,
Seigneur, protégez-nous !
Gardez les pécheurs
De l'infernale douleur et du tourment,
Et délivrez-les du péché
Auquel ils sont liés et condamnés.
Accordez-leur sincère pardon
Moyennant sincère confession.

Attaque vigoureuse contre les clercs et les prêcheurs accusés de détourner les héritages (on trouve le même reproche chez Rutebeuf), attaque contre les Français (Peire Cardenal a connu la guerre des albigeois), contre les usuriers et les traîtres, c'est-à-dire contre la corruption du siècle, la pièce s'ouvre sur une image d'une belle violence : « Le milan, ni le vautour... ». Mais la mort rend justice à tous. La poésie de Peire Cardenal est morale ; elle se termine ici par une prière à Dieu.

1. Il fait une sottise, une mauvaise affaire. (Littéralement, l'expression, d'allure proverbiale, semble signifier : « Il a tort de vendre au marché la truie, qui peut produire, au lieu de vendre simplement les jeunes gorets. »)

GUIRAUT RIQUIER

Je devrais me garder de chanter...

Je devrais me garder de chanter
Car au chant convient l'allégresse,
Et la peine tant m'étreint
Que de tous les côtés je souffre,
Me souvenant de mon dur passé,
Regardant le difficile présent
Et m'attristant de l'avenir.
Je n'ai partout que des sujets de larmes.

Je ne devrais point trouver de charme
A ce chant sans allégresse.
Mais Dieu m'a donné un tel art
Qu'en chantant je retrace ma folie,
Ma sagesse, ma joie, mon déplaisir,
Mon mal et mon bien, avec vérité.
C'est à peine si je dis autre chose qui vaille.
Je suis venu trop tard, dans les derniers.

A présent, rien n'est moins en cour
Que le métier de poète et le bel art des vers.
Rien ne veut-on voir ou entendre
Que conduites frivoles,
Et criailleries déshonorantes.
Ce qui autrefois donnait de la gloire
Est plus que toute autre chose oublié :
Le monde, pourrait-on dire, est en vente.

Par l'orgueil et la méchanceté
De prétendus chrétiens, nous nous sommes éloignés
De l'amour et des mains de Notre Seigneur,
Nous avons été chassés du Saint Lieu,
Sans parler d'une foule d'autres malheurs.
Il semble que le Seigneur nous soit ennemi
A cause de notre vouloir désordonné
Et de notre pouvoir outrecuidant.

Nous devrions craindre le grand péril
De la double mort qui se présente :
Que les Sarrasins l'emportent
Et que Dieu nous abandonne.
Entre nous, nous nous battons,
Et nous serons bientôt mis à terre.
Ils ne pensent guère à leur devoir,
Nos chefs, à ce qu'il me semble.

Celui que nous croyons unique
En pouvoir, en sagesse, en bonté,
Donne à sa création lumière
Dont soient purifiés les pécheurs.
Dame, mère de charité,
Obtiens-nous, par pitié,
De ton fils, notre Rédempteur,
Grâce, pardon et amour.

Dernière des chansons de Guiraut (elle date de 1292) cette pièce dit le malheur de pratiquer un art qui n'est plus apprécié dans un monde en perdition. La grande poésie des troubadours se termine sur cette note mélancolique.

Chansons de femmes, chansons de toile

Trois sœurs

Trois sœurs sur le bord de la mer
chantent clair.
La plus jeune était brunette :
« Un brun ami je défie,
je suis brune,
j'aurai aussi un brun ami. »

Trois sœurs sur le bord de la mer
chantent clair.
La cadette appelle
Robin son ami :
« Prise m'avez dans la ramée,
reportez-m'y. »

Trois sœurs sur le bord de la mer
chantent clair.
L'aînée dit :
« On doit bien une jeune dame aimer
et garder son amour
quand on l'a. »

Pourquoi me bat mon mari...

Pourquoi me bat mon mari,
Pauvrette !

Car rien de mal ne lui fis
Ni en rien n'ai médit de lui,
Sauf d'accoler mon ami
Seulette.
Pourquoi me bat mon mari,
Pauvrette !

Et s'il ne me laisse continuer
Ni bonne vie mener,
Cocu, je le ferai appeler,
Oui certes.
Pourquoi me bat mon mari,
Pauvrette !

Je sais bien ce que je ferai
Et comment je m'en vengerai.
Avec mon ami je me coucherai
Nuette.
Pourquoi me bat mon mari,
Pauvrette !

Cette pièce relève du genre de la chanson de *malmariée*. La femme y montre avec une grâce narquoise et souriante une totale insouciance des conventions sociales. Jeu léger, sur un rythme de danse, cette chanson qui connaît de nombreuses variantes sera reprise, amplifiée, au XIVe siècle, pour servir de *tenor* (voix inférieure) à un motet de Guillaume de Machaut : « Lasse ! comment oublierai / Le bel, le bon, le doux, le gai. »

Oriolant
dans une chambre haute

Oriolant dans une chambre haute
Soupire et se met à pleurer ;
Elle souffre de l'absence d'Hélier, son amant :
— Ami, les méchants et les médisants
Vous éloignent tant de moi.
  Dieu, comme la joie est lente à venir
  Pour celui qu'excite son attente !

Ami, tendre ami Hélier,
Quand je me souviens de vos étreintes,
De vos embrassements, de vos baisers,
De nos doux entretiens sans dispute,
Comment puis-je supporter de vivre ?
  Dieu, comme la joie est lente à venir
  Pour celui qu'excite son attente !

Ami, c'est moi, plus que les médisants,
Qui vous ai éloigné de moi :
En vous résistant un jour,
J'ai chassé de vous l'amour pour moi ;
J'en reçois à présent un bien dur salaire.
  Dieu, comme la joie est lente à venir
  Pour celui qu'excite son attente !

Ami, la nuit, quand je suis couchée,
Dans mon sommeil je crois vous embrasser.
Et quand au réveil cette étreinte m'échappe,
Rien ne peut me soulager.
Alors je me reprends à désirer.
  Dieu, comme la joie est lente à venir
  Pour celui qu'excite son attente !

Ami, à présent je veux prier Dieu,
S'il doit jamais m'apporter son secours,
Que je vous voie sans retard,
Mais c'est ce que l'on désire le plus
Qu'on a le plus de peine à obtenir. »
  Dieu, comme la joie est lente à venir
  Pour celui qu'excite son attente !

Tandis que la belle se lamente,
Hélier a quitté la cour.
Il arrive, chevauchant par une lande,
Et il a entendu les douces plaintes :
Il en a ressenti une joie très vive.
  Dieu, comme la joie est lente à venir
  Pour celui qu'excite son attente !

La belle a levé la tête :
Elle voit que c'est Hélier son ami.
Elle l'embrasse, elle l'étreint,
Elle l'a pris entre ses beaux bras :
Alors abondèrent les plaisants jeux d'amour.
  Dieu, comme la joie est lente à venir
  Pour celui qu'excite son attente !

Oriolant lui dit : « Mon ami,
Malgré les misérables médisants
Voilà que vous avez pris possession de moi.
Désormais ils diront ce qu'ils voudront
Et nous, nous ferons tous nos plaisirs. »
  Dieu, comme la joie est lente à venir
  Pour celui qu'excite son attente !

Je ne sais que vous en dire de plus :
Ainsi advienne à tous les amants !
Et moi, qui fis cette chanson
Sur le rivage de la mer, pensif,

Je recommande à Dieu la belle Aelis.
Dieu, comme la joie est lente à venir
Pour celui qu'excite son attente !

Traduction de Michel Zink, Champion.

On note dans cette chanson l'influence de la poésie courtoise que signalent la présence insistante des médisants, les « losengiers », et la signature anonyme de la pièce avec l'apparition du poète, un homme, à la dernière strophe : « Et moi, qui fis cette chanson / Sur le rivage de la mer, pensif... »
Ce sont les noms des deux absents, objets du désir, Hélier pour Oriolant, Aelis pour le poète, qui donnent les indicatifs de rimes de la pièce. Les cinq premières strophes sont en *-ier* en ancien français, les quatre dernières en *-is*. Le nom propre est matériau poétique.

Le samedi au soir finit la semaine...

Le samedi au soir finit la semaine.
Gaiete et Oriour, sœurs germaines,
Main dans la main vont se baigner à la fontaine.
Que souffle le vent, que ploient les branches,
Ceux qui s'aiment dorment en paix.

Le jeune Gérard revient de la quintaine[1].
Il aperçoit Gaiete au bord de la fontaine.
Il l'a prise dans ses bras et l'étreint doucement.
Que souffle le vent, que ploient les branches,
Ceux qui s'aiment dorment en paix.

1. La *quintaine* était un poteau, un mannequin, contre lequel on s'exerçait au maniement de la lance. Revenir de la quintaine : revenir de cet exercice militaire d'entraînement au combat, qui était un exercice dangereux.

« Quand tu auras, Oriour, puisé de l'eau,
Retourne-t'en, tu connais bien le chemin du village.
Je resterai avec Gérard, qui m'aime bien. »
Que souffle le vent, que ploient les branches,
Ceux qui s'aiment dorment en paix.

Oriour s'en va, pâle et triste.
Ses yeux pleurent, son cœur soupire,
Parce qu'elle n'emmène pas Gaiete, sa sœur.
Que souffle le vent, que ploient les branches,
Ceux qui s'aiment dorment en paix.

« Hélas ! fait Oriour, à quelle mauvaise heure je suis [née !
J'ai laissé ma sœur dans le vallon.
Le jeune Gérard l'emmène dans son pays. »
Que souffle le vent, que ploient les branches,
Ceux qui s'aiment dorment en paix.

Le jeune Gérard et Gaie[1] s'en sont allés.
Ils ont pris le chemin qui conduit droit à la cité.
Dès qu'ils furent arrivés, il l'a épousée.
Que souffle le vent, que ploient les branches,
Ceux qui s'aiment dorment en paix.

Au fil de cette chanson, le couple des sœurs (*Gaiete*, la gaie, *Oriour*, dont le nom est formé sur Orient), couple fondé sur le lien du sang, se dissout pour laisser la place au nouveau couple fondé sur un lien neuf : l'amour. Le pacte naturel qui unissait les sœurs « main dans la main » cède la place au pacte social qu'est le mariage. Mélancolie d'une fin, celle de l'enfance que dit à sa manière le premier vers : « Le samedi au soir finit la semaine. »
Cette chanson au charme subtil a fasciné Guillaume

1. Le poète change le nom de Gaiete en Gaie pour indiquer le passage de l'état de jeune fille à celui de femme.

Apollinaire qui s'en souvient dans « Le Pont Mirabeau ». On comparera le refrain de *Gaiete et Oriour* : « Vante l'ore et li raim crollent, / Ki s'antraimment soweif dorment (Que souffle le vent, que ploie la ramée, / Ceux qui s'aiment dorment doucement) au refrain du « Pont Mirabeau » : « Vienne la nuit sonne l'heure / Les jours s'en vont je demeure ». (Voir *Poètes français des XIXe et XXe siècles*, Le Livre de Poche, « Nouvelle approche », p. 97.)
Une allusion à cette chanson médiévale apparaît à la fin d'un autre poème d'Apollinaire, « Marie » :

> Je passais au bord de la Seine
> Un livre ancien sous le bras
> Le fleuve est pareil à ma peine
> Il s'écoule et ne tarit pas
> Quand donc finira la semaine

On peut se demander enfin si les deux vers du « Pont Mirabeau » : « Comme la vie est lente / Et comme l'Espérance est violente » ne sont pas un écho au refrain de la chanson de toile « Oriolant dans une chambre haute » : « Deus, tant par vient sa joie lente / A celui cui ele atalente ! » (Dieu, comme la joie est lente à venir / Pour celui qu'excite son attente !). Guillaume Apollinaire, comme en témoigne son récit en prose sur Merlin, *L'Enchanteur pourrissant*, était bon connaisseur et amoureux du Moyen Age.

Fables

AVIONNET

De Renard et de l'Ourse

L'Ourse, en raison de sa peau multicolore,
Voulait être mieux prisée.
(D'autres disent qu'il s'agit d'une bête
Qui de pelage et de tête
Ressemble à la belle Panthère
A qui nulle autre ne se compare,
Tant elle est diversement colorée ;
On dit qu'elle vit en Perse.)
Et elle dit que, par l'âme de son père,
Aucune bête ne se compare à elle,
En noblesse ni en beauté,
Car dans le monde il n'y en a pas de telles ;
Et pour cette raison cela l'irrite et lui déplaît
Qu'une autre bête se range à ses côtés.
Ni l'ours, ni le cheval ni le lion,
Ne doivent être mentionnés
En comparaison avec elle, à son avis ;
Tous lui semblent vils et méprisables.
Le Renard, qui sait tant de ruses,
La vit mépriser et rabaisser

Les autres, et se priser elle-même et se louer ;
Il lui dit en se moquant :
« Amie, crois-tu avoir plus de valeur
A cause de ta peau qui a tant de taches,
Dont les deux tiers, pour ne pas dire les trois quarts,
Ne valent pas grand-chose ?
Tu vas paradant à cause de ta peau,
A cause des couleurs qui s'y mélangent,
Mais un tel mélange n'a pas de valeur à mes yeux,
Je ne m'y fie pas ni ne lui accorde d'importance.
Si Dieu a placé en toi une certaine beauté,
Ne méprise pas les autres pour autant.
Car un sage laid est plus apprécié
Qu'un beau fou bien vêtu. »

La moralité

Ainsi Renard reprend l'Ourse.
La beauté ne se peut comparer à l'intelligence.

Beauté sans savoir ne vaut rien.
Il fait bon avoir les deux.
Telle est la véritable noblesse
Qui suscite dans un cœur de bonnes mœurs.
Le noble cœur surmonte tout,
Le noble cœur dompte les membres.
Nobles sont les actes des anciens,
Par leur beauté et leur pureté.
Toutefois chaque chrétien
Peut dire : « Je suis hors des liens
De servitude et j'ai quitté le joug,
Si Jésus-Christ m'invite dans les cieux,
Car sa noblesse vient d'une haute origine,
De paradis, en vérité,

Où jamais n'habita vilain,
Où vilenie ne trouve pas gîte.
Jamais vilain n'y demeura,
Ni ne le cultiva ni n'y habita,
Et cependant le très noble Homme,
Afin que fût rachetée
L'offense du premier père,
Vint ici-bas souffrir la mort amère.
Le Fils de Dieu, par nature,
Voulut accomplir le rachat,
Afin que fussent anoblis
Ceux qui auraient dû être oubliés,
Ceux qui étaient condamnés à mort[1],
Tous ceux qui étaient nés d'Adam.
Par l'œuvre de la Trinité
Fut tout le monde visité.
Seul le Fils de Dieu
Prit vrai corps précieux
Et descendit de sa noblesse.
De son Père et de sa forteresse,
Il descendit par une porte dorée
Ici-bas en notre contrée. »

Cette fable morale sur la tromperie, la vanité des apparences s'appuie sur un récit d'animaux : les vanteries de l'Ourse se glorifiant de son beau pelage, et qui est reprise par le malin Renard. La moralité se déroule en deux temps : une sentence, tout d'abord, en rapport direct avec le récit qui précède, « La beauté ne se peut comparer à l'intelligence », un rappel ensuite du sacrifice du Christ pour l'homme, enseignement religieux dont le rapport n'est plus qu'indirect avec la fable, mais qui sous-tend tout enseignement moral à l'époque.

1. *« A mort dampné » :* à la fois « damnés » et « condamnés à la mort éternelle », celle de l'âme.

ISOPET

Du Cheval qui mata le Lion

Un Cheval malade paissait
Dans un pré. Un Lion passait
Le long du pré, qui avait grand-faim.
Il pense quand il voit le Cheval
Qu'il en fera son repas.
Il va vers lui, fait sa connaissance
En disant : « Frère, que Dieu vous sauve !
Je sais bien ce qu'il vous faut ;
On me considère comme un très bon médecin,
Et je suis venu de Salerne[1]
Pour vous guérir de votre mal. »
Il croit tromper le Cheval
Et lui dit : « Je veux être, beau seigneur,
Votre compagnon et votre médecin. »
Le Cheval qui devine la ruse
Donne son accord à ce qu'il lui dit ;
Toutefois il pense et réfléchit
Aux moyens de se défendre,
Et de nuire et faire du mal à celui
Qui est venu pour le mettre à mal.
A son tour il le trompe par les paroles
Douces et complaisantes qu'il lui adresse :
« Soyez le bienvenu, beau seigneur,
J'avais grand besoin d'un médecin ;
Dieu vous a envoyé ici,

1. Ville d'Italie où se trouvait une faculté de médecine renommée. On y faisait aussi, dit-on, de la magie noire...

Car trop cruellement m'a blessé
Une ronce qui m'a fait une plaie
Au pied, derrière, de ce côté. »
Il lève le pied et l'autre regarde,
Sans se douter du piège ;
Au contraire il croit le tromper,
Le prendre par le pied et l'immobiliser.
Il baisse la tête.
Savez-vous ce que fit le Cheval ?
Du pied il le frappe si durement
Qu'il l'expédie bien loin, tout endormi,
Au point qu'il se réveille à grand-peine
(Il s'en faut de peu qu'il n'en meure),
Et qu'il ne peut bouger un membre.
Le Cheval le laisse et s'en va.
Quand l'autre revient de pâmoison,
Il se condamne en toute justice
Et dit : « J'ai souffert de cette mésaventure,
C'est à juste titre qu'elle m'est arrivée :
Je faisais semblant d'être son ami,
Alors que j'étais son ennemi. »

La moralité

On doit se montrer tel que l'on est ;
Mais bien des gens font le contraire.
Qui veut feindre sa vraie nature,
Il est bien juste que peine et châtiment
Lui en retombent sur la tête.
L'homme sage, de par sa sagesse,
Ne met pas en œuvre de la tricherie :
Car il ne triche pas, celui qui
Pratique la ruse
Pour tromper le trompeur.

Ainsi le trouve-t-on écrit en vérité
Dans le livre de droit canon :
Il s'appelle le décret de Digeste[1].

Le Moyen Age a aimé les fables et a traduit ou adapté du latin plusieurs recueils. Certains sont connus sous le nom d'*isopets* parce qu'ils remontent, en dernière analyse, à Ésope ; un autre a reçu le nom d'*avionnet*, qui renvoie au fabuliste latin du IVe siècle, Avianus, Avien.
On comparera cette fable « Du Cheval qui mata le Lion » à la fable de La Fontaine « Le Cheval et le Loup ». (Voir La Fontaine, *Fables*, Le Livre de Poche, « Nouvelle approche », pp. 155-156.)

1. Œuvre immense, publiée en 533, qui réunissait d'importants fragments de la jurisprudence classique.

Bestiaires

PHILIPPE DE THAUN

Le Bestiaire

La licorne

Le monoceros est une bête
Qui a une corne sur la tête,
C'est de là qu'elle tire son nom,
Elle ressemble à un petit bouc.
Elle est prise par l'entremise d'une vierge ;
Écoutez comment :
Quand on veut la chasser,
Et la prendre et la tromper,
On vient dans la forêt
Où elle vit,
On y place une vierge,
Un sein découvert ;
Et par son odorat
Le monoceros la sent ;
Alors il vient à la vierge
Et embrasse son sein,
Il s'endort dans son giron,
Et ainsi rencontre sa mort.

Le chasseur survient alors
Qui le tue dans son sommeil
Ou le prend tout vif,
Et en fait ce qu'il veut.
Cela a une grande signification,
Je m'en vais vous la dire.
« Monoceros » est un mot grec,
En français il correspond à « une corne ».
Une bête de ce genre
Signifie Jésus-Christ :
Un Dieu est et sera,
Et fut et demeurera ;
Il s'incarna en la vierge
Et pour l'homme se fit chair,
Et par amour de la virginité,
Pour manifester la valeur de la chasteté
Il apparut à une vierge
Et vierge elle le conçut ;
Elle fut, est et sera vierge,
Et toujours le restera.
Écoutez en peu de mots
La signification.
Cette bête en vérité signifie Dieu ;
La vierge signifie,
Sachez-le, Sainte Marie.
De même, par son sein il faut comprendre
Sainte Église,
Et par le baiser, la paix,
C'est cela la signification.
Et l'homme quand il dort
Ressemble à un mort :
Dieu comme un homme dormit
Car il souffrit la mort sur la croix ;
Et pour le prince de la mort

La Vue (détail de
« La Dame à la Licorne »).

Sa mort fut mortelle,
Et sa destruction
Fut notre rédemption,
Et ses peines
Notre repos ;
Ainsi Dieu trompa le diable
Par des apparences appropriées.
Le diable trompa l'homme,
Dieu fait homme, que le Malin ne reconnut pas,
Trompa de même le diable
Par le pouvoir qui convenait :
De même que l'âme et le corps composent l'homme,
De même, lui, fut à la fois Dieu et homme.
Et c'est ce que signifie
Une bête de ce genre.

Dans les bestiaires, très en vogue au Moyen Age (le mot *bestiaire* apparaît pour la première fois chez Philippe de Thaon précisément), la description d'animaux réels ou légendaires sert de base à une interprétation allégorique et à un enseignement, au départ, moral et religieux. Ainsi de la licorne (le monoceros) et du récit de sa capture, la licorne étant comparée au Christ, la jeune fille, nécessaire à la prise de l'animal, à la Vierge Marie.
On peut suivre les aventures et les transformations, dans l'imaginaire, de la licorne à travers le Moyen Age aussi bien en littérature qu'en art. Qu'on pense à la chanson de Thibaut de Champagne que nous donnons ici p. 77 ou aux six pièces de la tenture de *La Dame à la licorne* tissées en 1500 à la demande de Jean Le Viste, brillant fonctionnaire royal, qui y a fait figurer ses armoiries. Cette tapisserie, découverte en 1844 par George Sand dans un château de la Creuse, à Boussac, et maintenant au musée de Cluny, a fasciné, par son évocation des cinq sens, et cette présence obsédante de la licorne, nombre d'écrivains modernes dont Rilke et Cocteau.

La sirène

« Serena » vit dans la mer,
Pendant la tempête elle chante
Et pleure lorsqu'il fait beau,
Telle est son habitude ;
Elle ressemble à une femme
Jusqu'à la ceinture,
Et elle a des pieds de faucon
Et une queue de poisson.
Quand elle veut se divertir
Elle chante haut et clair ;
Si alors un capitaine l'entend,
Qui va naviguant par la mer,
Il oublie son bateau,
Et s'endort aussitôt.
Souvenez-vous-en,
Cela a une signification.
Les sirènes qui existent
Ce sont les richesses du monde,
La mer désigne ce monde,
Le bateau, les gens qui y vivent,
Et l'âme est le capitaine,
Le bateau, le corps qui doit naviguer.
Sachez que maintes fois
Les richesses du monde font
Pécher l'âme et le corps
— C'est-à-dire le bateau et le capitaine —,
Elles font s'endormir l'âme en état de péché,
Et enfin la font périr.
Les richesses du monde font de grands prodiges,
Elles parlent et volent,
Elles entravent et noient ;
C'est pourquoi de telle manière

Nous dépeignons les sirènes :
L'homme riche parle,
Sa renommée vole,
Et il tourmente les pauvres,
Et se noie par sa félonie.
La sirène est ainsi faite
Qu'elle chante dans la tempête
C'est ce que font les richesses du monde,
Quand elles confondent l'homme riche
— C'est chanter dans la tempête
Que d'avoir richesse pour maître —
Car l'homme se pend pour elles
Et se tue en grand tourment.
La sirène par beau temps
Pleure et se plaint sans cesse :
Quand l'homme distribue ses richesses
Et les méprise par amour pour Dieu,
C'est une belle heure,
Et richesse pleure.
Sachez que telle est la signification
De richesse dans cette vie.

La sirène est prise ici comme le symbole de la richesse et de sa séduction. Dans les *Arts d'Amour*, elle représente le pouvoir de séduction trompeuse de la femme, de sa parole, surtout, et de son chant.
La particularité attribuée à la sirène dans ce texte : chanter dans la tempête et pleurer quand il fait beau est une des caractéristiques de l'homme et de la femme sauvages pour le Moyen Age. On sait que ces créatures, couvertes de poils et qui vivent dans les forêts, sont, telles les sirènes, à mi-chemin de l'humanité et de l'animalité.

L'union avec la nature

D'un fonds culturel païen, fait de rites de chasse ou de moissons, on a retiré la notion d'une communion profonde de l'homme et de la nature. Des fêtes, encore perpétuées, avec le Carnaval, jusqu'à nos jours, invoquent les grands prédateurs (ours et loup), en Italie du Nord, en Suisse ou dans le centre de la France, pour mieux les conjurer. Dans d'autres régions, ce sont des fleurs, des oranges, du grain, du plâtre ou leur version moderne, les confettis, qu'on se jette au visage, pour s'assurer toute l'année de quoi manger à satiété. La culture antique a légué la notion d'un univers total, où tout est expliqué dans la nature. L'Église va plus loin : si Dieu a fait le monde à son image, il ne reste alors qu'à tout mettre en ordre pour en connaître les plus profonds secrets. Cette conception scientifique est aujourd'hui risible, mais elle garantissait à l'homme du Moyen Age une quiétude d'esprit que nous, hommes modernes, pouvons lui envier.

A l'endroit de l'intersection paradoxale entre l'homme et la nature, on représente le mythique *homme sauvage*. A la différence de Mowgli, enfant des humains perdu dans la forêt, il est issu d'une race à part, couvert de poils — ou de feuilles, on ne sait pas très bien — que les chiens lèvent comme du gibier ordinaire. Mais il sait parler, et implore le chasseur de l'épargner. On le voit fréquemment en marge des miniatures, sur les tapisseries, dans l'arrière-plan des tableaux de la Renaissance, où il deviendra un motif décoratif à part entière. N'auriez-vous pas déjà rencontré une femme sauvage, si ravissante, avec un bébé dans les bras ?

Trouvères

GACE BRULÉ

Au renouveau de la douceur d'été...

Au renouveau de la douceur d'été,
Quand l'eau de la source coule transparente dans la
Et que sont verts bois et vergers et prés, [fontaine,
Et que le rosier en mai fleurit et porte graine,
Alors je chanterai, car trop longtemps m'auront fait
[souffrir
L'angoisse et le trouble que j'ai dans le cœur,
Et l'amant parfait[1] accusé à tort
Est facilement effrayé pour un rien.

Il est vrai qu'Amour m'a malmené contre toute loi,
Mais il me plaît bien qu'il me traite à son gré
Car, s'il plaît à Dieu, viendra un jour qu'il me
[récompensera
De ma souffrance et de ma longue peine.
Mais j'ai bien peur qu'il ne m'ait oublié
Sur le conseil de ces gens menteurs et trompeurs

1. *Fins amis*, en ancien français, au sens où nous parlons d'« or fin ». C'est le même sens que dans l'expression *amor fine*.

Dont le crime est connu et attesté,
Si bien que je ne crois pas pouvoir en réchapper sans
[mourir.

Douce dame, octroyez-moi, pour Dieu,
Un doux regard de vous en la semaine ;
Alors j'attendrai, fort de cette assurance,
La joie d'Amour, si ma fortune le veut ainsi.
Souvenez-vous que c'est cruauté et vilenie
Pour le suzerain d'occire son homme lige.
Douce dame, gardez-vous d'orgueil,
Ne trahissez pas vos vertus et votre beauté.

J'ai tant mis à l'épreuve d'Amour mon cœur
Que jamais sans lui je n'aurai de joie certaine.
Je me suis si bien soumis à sa volonté
Qu'aucune épreuve ne refrène mon désir ;
Plus je me trouve mélancolique[1] et égaré,
Plus je me réconforte en pensant à ses qualités.
Et vous, seigneurs, qui priez et aimez,
Faites-en autant, si vous voulez connaître la joie.

Douce dame, tant m'ont accusé
Les traîtres[2] menteurs et leurs paroles trompeuses
Que dans ma longue attente ils m'ont tellement privé
[de réconfort
Qu'il s'en est fallu de peu qu'ils ne me tuent ; Dieu
[leur donne mauvaise récompense !
Mais malgré eux je vous ai donné mon cœur,

1. *Pensif :* a un sens fort au Moyen Age ; il signifie « absorbé dans ses pensées », qui ne sont pas d'une coloration très gaie.

2. *Récréants.* Dans le registre chevaleresque, ce terme désigne celui qui abandonne la chevalerie pour s'adonner aux plaisirs du monde, par exemple. Erec, dans le roman de Chrétien de Troyes qui porte ce nom, est récréant. Ici, il s'agit de ceux qui ont prétendu aimer, puis qui ont quitté le service d'Amour.

Plein d'un amour qui jamais ne s'en éloignera ;
Il s'est en vous si parfaitement affiné[1]
Que jamais on n'en a cherché ni trouvé par le monde
[un si loyal.

Fuyez, chanson, ne vous attardez pas auprès de moi,
Allez-vous-en auprès de mon seigneur Noblet,
Et dites-lui que je suis né sous une mauvaise étoile,
Moi qui toujours aime et jamais ne serai aimé.

L'introduction de cette chanson de Gace Brûlé évoque l'ouverture de la chanson de Guillaume IX : « A la douceur du temps nouveau » (voir p. 29) de même que son dernier vers fait écho à un vers de Jaufré Rudel (voir Commentaires, « Vers mémorables », p. 238).
Comme dans la lyrique des troubadours, le service amoureux est calqué sur le service féodal. La dame est le suzerain, l'amant, l'homme lige. Le devoir de ce dernier est de *servir* dans toute l'acception féodale du terme.

1. *Esmerez,* affiné, purifié ; se dit de l'or que l'on a débarrassé de toutes ses impuretés. La princesse du *Bel Inconnu* de Renaut de Beaujeu s'appelle Blonde Esmerée...

LE CHATELAIN DE COUCY

La douce voix du rossignol sauvage...

La douce voix du rossignol sauvage
Que j'entends nuit et jour bellement retentir
Emplit tant mon cœur de calme et de douceur
Qu'elle me donne le désir de chanter par joie.
Oui, je dois bien chanter puisque cela plaît
A celle à qui je me suis rendu,
Et ma joie sera plénière
Si elle veut me retenir pour serviteur.

Jamais je n'eus envers elle cœur trompeur ou volage,
Et ma récompense en devrait être plus grande,
Car je l'aime et la sers et l'adore avec constance,
Sans oser toutefois lui découvrir ma pensée.
Sa beauté me remplit d'un tel émoi
Que je suis devant elle, muet ;
Et je n'ose pas plus regarder son pur visage
Tant je crains de ne pouvoir en détacher mes yeux.

J'ai si fermement mis mon cœur en elle
Que je ne pense à nulle autre. Dieu m'en laisse savourer
Jamais Tristan qui but le philtre [ce plaisir !
Sans se repentir, n'aima d'un amour plus loyal.
Car je m'y donne tout entier, cœur, corps, désir,
Force et pouvoir ; je ne sais si je fais folie ;
Et je redoute qu'en toute ma vie
Je ne puisse assez la servir et l'aimer.

Non, je ne fais pas de folie,
Pas même si pour elle je devais mourir,
Car je ne trouve au monde ni si belle ni si sage,
Et il n'est personne qui ne me plaise plus.
J'aime mes yeux qui la distinguèrent.
Dès que je la vis, je lui laissai en otage
Mon cœur qui depuis ne l'a pas quittée :
Jamais je ne chercherai à le reprendre.

Chanson, va porter mon message
Là où je n'ose aller, même à la dérobée,
Car je redoute tant ces mauvais soupçonneux
Qui colportent, avant même qu'ils n'arrivent,
Les biens d'amour. Dieu les puisse maudire !
A maints amants, ils ont fait peine et tort,
Mais j'ai sur ces derniers ce cruel avantage,
Qu'il me faut, malgré moi, être à leur merci.

> En écho à la chanson de Bernard de Ventadour : « J'ai entendu la douce voix / Du rossignolet sauvage », donnée p. 36, s'ouvre cette pièce du Châtelain de Coucy. Le poète y dit le lien essentiel de l'amour et du chant.
> Une image hante la poésie courtoise, celle de Narcisse, qui n'apparaît pas ici directement mais perce à travers la formule : « J'aime mes yeux qui la distinguèrent. » Folie ou bonheur d'aimer, s'interroge le poète.

CONON DE BÉTHUNE

Amour m'invite à me montrer joyeux...

Amour m'invite à me montrer joyeux,
Alors que j'ai le moins de raisons de chanter.
Mais mon désir de garder le silence est le plus fort :
J'ai mis mon chant en interdit
Car les Français ont blâmé mon langage
Et mes chansons, en présence des Champenois,
Et aussi de la Comtesse[1], ce qui m'est le plus sensible.

La Reine[2] n'a pas agi courtoisement
En me reprenant, elle et son fils le Roi.
Encore que mon parler ne soit pas français,
On peut bien le comprendre, en français,
Et ceux-là ne sont ni bien élevés ni courtois
Qui m'ont repris si j'ai employé des mots d'Artois :
Je n'ai pas été élevé à Pontoise.

Dieu ! que ferai-je ? Lui dirai-je ma pensée ?
Irai-je donc lui demander son amour ?
Oui, par Dieu, car tels sont les usages
Qu'on ne peut plus rien obtenir sans le demander.
Et si ma prière est trop hardie,

1. Il s'agit de la célèbre Marie de Champagne, fille de Louis VII, roi de France, et d'Éléonore d'Aquitaine, sa première épouse. Chrétien de Troyes nous rapporte que c'est cette comtesse qui lui donna le sujet de son roman *Le Chevalier de la Charrette*. (Voir *Romanciers et chroniqueurs du Moyen Age*, Le Livre de Poche, « Nouvelle approche », n° 4271.)
2. Alix de Champagne, veuve de Louis VII. Son fils est le roi de France Philippe Auguste.

Ce n'est pas contre moi que ma dame
Doit se fâcher, mais contre Amour qui me fait aller
[trop loin.

Cette pièce renseigne sur le statut respectif accordé aux dialectes à la cour de Philippe Auguste. Les « mots d'Artois », les picardismes sont sentis comme non courtois par les arbitres des élégances mondaines et poétiques que sont la reine Alix de Champagne et la comtesse Marie de Champagne.
Conon de Béthune se révolte face à une telle attitude, refusant d'abdiquer son identité poétique. Il retourne même, de manière violente et osée, l'accusation d'anticourtoisie à ceux-là mêmes qui l'ont moqué. Cette accusation doit être d'autant plus insupportable pour le grand seigneur et le poète qu'il est qu'Arras est en train de devenir le centre d'une région prospère à la fois économiquement et littérairement. (On verra cette réputation s'épanouir au XIIIe siècle avec des poètes comme Jean Bodel et Adam de la Halle, tous deux d'Arras. Voir ici même, pp. 97 et 100.)
Pourtant, dans la troisième strophe, Conon reprend abruptement son rôle de poète courtois : il chante ce pour quoi il est à la cour, l'amour « courtois ».

THIBAUT DE CHAMPAGNE

Je suis semblable à la licorne...

Je suis semblable à la licorne
Qui se perd dans sa contemplation

Quand elle regarde la jeune fille.
Elle éprouve un si doux malaise
Qu'elle s'évanouit dans son giron.
On la tue alors par traîtrise.
C'est ainsi que m'ont tué
Amour et ma dame, en vérité.
Ils ont mon cœur, je ne puis le reprendre.

Dame, quand je fus devant vous
Et que je vous vis pour la première fois,
Mon cœur tressaillait tant
Qu'il resta auprès de vous quand je partis.
Alors il fut emmené sans rançon,
Captif en la douce prison
Dont les piliers sont de désir
Et les portes de beau regard
Et les anneaux de bon espoir.

De la prison, Amour a la clef.
Il y a mis trois portiers :
Beau Semblant s'appelle le premier.
Amour leur a donné *Beauté* pour chef ;
Il a mis *Danger* à l'entrée,
Un affreux vilain, traître et répugnant,
Fort mauvais et scélérat.
Tous trois sont rapides et audacieux :
Ils ont vite fait de s'emparer d'un homme.

Qui pourrait supporter les rigueurs
Et les assauts de ces portiers ?
Jamais Roland et Olivier
Ne livrèrent de tels combats.
Ils triomphèrent en luttant
Mais on vainc ceux-là en s'humiliant.

Patience est là porte-étendard.
Dans cette bataille dont je vous parle,
Il n'y a d'autre salut que la pitié.

Dame, ce que je crains le plus,
C'est de manquer de vous aimer.
J'ai tant appris à souffrir
Que je suis vôtre par habitude.
Et même si cela vous déplaisait,
Je ne saurais y renoncer
Sans en garder le souvenir
Et que mon cœur ne soit toujours
Dans la prison et près de moi.

Dame, puisque je ne sais tromper,
Il conviendrait d'avoir pitié de moi
Qui porte un si lourd fardeau.

Après avoir repris l'image de la licorne (voir p. 66) à laquelle le poète se compare — tous deux meurent de leur fascination — Thibaut de Champagne propose et développe le motif de la prison amoureuse. Trois gardiens allégoriques veillent sur cette geôle : *Beau Semblant* (c'est-à-dire Beau Visage), *Beauté, Danger* (qui personnifie le refus de la dame). Mais de même que dans la chasse à la licorne la force guerrière ne sert à rien, on ne vient à bout de ces gardiens de la prison d'amour que par la patience (le mot en ancien français est *souffrir*, supporter). Le poète dans cette chanson est à la fois chasseur et gibier, comme son cœur, nous dit-il, est, dans le même moment, en lui-même et dans la prison de la dame. Le guerrier s'est fait amant.

COLIN MUSET

Seigneur comte, j'ai joué de la vielle...

Seigneur comte, j'ai joué de la vielle
Devant vous, dans votre maison,
Et vous ne m'avez rien donné
Ni n'avez acquitté mes gages.
    C'est mal !
Par la foi que je dois à Sainte Marie,
Je ne vous suivrai plus.
Mon aumônière est mal garnie
Et ma bourse mal farcie.

Seigneur comte, exigez
De moi ce qu'il vous plaît.
En retour, Seigneur, si c'est votre désir
Donnez-moi un beau don
    Par courtoisie.
Car j'ai envie, n'en doutez pas,
De retourner chez moi.
Mais quand j'arrive la bourse dégarnie
Ma femme ne me sourit pas.

Elle me dit : « Maître empoté,
Dans quel pays êtes-vous allé
Pour n'en avoir rien rapporté ?
Vous êtes allé vous amuser
    A travers la ville.
Voyez comme votre malle fait des plis !
Elle est toute farcie de vent !

Honni soit qui a envie
De vivre en votre compagnie ! »

Mais quand je rentre chez moi
Et que ma femme a vu
Derrière moi le sac enflé
Et moi qui suis bien paré
　　D'une robe fourrée,
Sachez qu'elle a vite posé
La quenouille, sans mentir.
Elle me sourit libéralement
Et me met ses deux bras autour du cou.

Ma femme va décharger
Ma malle sans tarder ;
Mon valet va abreuver
Mon cheval et le panser ;
Ma servante va tuer
Deux chapons qu'elle préparera pour le plaisir
　　A la sauce à l'ail ;
Ma fille m'apporte un peigne
De sa main, aimablement.
Alors je suis de ma maison le seigneur,
Dans la joie, sans dispute,
Plus que nul ne pourrait le dire.

Colin Muset joue du motif de la requête, non plus d'amour, mais d'argent. Ceci nous vaut le diptyque amusé, destiné à provoquer la générosité du mécène, du poète rentrant chez lui la malle vide ou au contraire le sac bien rempli, et de l'accueil contrasté qu'on lui réserve. Nous sommes là dans un autre registre de la chanson. La vie même du trouvère, que la peinture présentée soit réelle ou imaginaire, est prise comme motif littéraire. On comparera ce portrait typé de condition à celui que Rutebeuf, dans la même veine, nous donne de lui-même.

JEAN DE BRAINE

A l'ombre d'un bois...

Pastourelle

A l'ombre d'un bois
Je trouvai une bergère à mon goût.
Contre l'hiver, elle était bien protégée,
La fillette aux cheveux blonds.
La voyant sans compagnie,
Je quitte mon chemin et me dirige vers elle.
Aé !

La jeune fille n'avait d'autre compagnon
Que son chien et son bâton.
A cause du froid, elle s'était enveloppée dans sa cape,
Assise derrière un buisson.
Sur sa flûte, elle appelle
Garinet et Robichon[1].
Aé !

Quand je la vis, soudainement,
Je me tourne vers elle et mets pied à terre.
Je lui dis : « Bergère amie,
De bon cœur je me rends à vous.
Faisons-nous un pavillon de feuillage
Et nous nous aimerons gentiment. »
Aé !

1. Diminutifs de Garin et Robert, noms traditionnels des bergers dans les pastourelles.

« Seigneur, retirez-vous arrière,
Car j'ai déjà entendu pareil discours.
Je ne suis pas abandonnée
A tous ceux qui disent : " Viens ici ! "
Ce n'est pas pour votre selle dorée
Que Garinet y perdra quoi que ce soit. »
Aé !

« Petite bergère, si cela te plaît,
Tu seras dame d'un château.
Enlève cette cape grise
Et revêts ce manteau de vair[1].
Tu ressembleras à la rose
Qui vient de s'épanouir. »
Aé !

« Seigneur, voilà une grande promesse ;
Mais bien folle est qui accepte
Ainsi d'un homme étranger
Manteau de vair ou parure,
Si elle ne se rend à sa prière
Et ne lui accorde ce qu'il désire. »
Aé !

« Petite bergère, je le jure,
Parce que je te trouve belle,
Je ferai de toi, si tu veux,
Une dame élégante, noble et fière.
Laisse l'amour des godelureaux
Et remets-t'en à moi. »
Aé !

1. Le *vair* désigne la fourrure d'une variété d'écureuil de Russie et de Sibérie, le petit-gris.

« Seigneur, paix, je vous en prie :
Je n'ai pas le cœur si bas.
J'aime mieux une humble joie
Sous la feuillée avec mon ami
Qu'être dame dans une chambre close
Et qu'on ne fasse pas cas de moi. »
Aé !

La pastourelle est un genre lyrique qui offre une trame narrative au schéma bien déterminé. Dans un lieu ouvert, une nature sauvage, qui n'est ni le verger clos courtois, ni la chambre de la dame, un chevalier (plus rarement un clerc), portant les insignes d'un pouvoir, tente de séduire une bergère.
Les cas de figure suivants peuvent se présenter :
1. La bergère accepte les propositions du chevalier et l'amour est consommé.
2. La bergère refuse les propositions du chevalier. Trois situations alors :
a) Le chevalier ne poursuit pas ses avances. Ce cas, illustré par notre pièce, est rare. Dans notre exemple, la bergère sait démasquer les ruses séductrices du langage courtois du chevalier.
b) Le chevalier tente de forcer la pastoure, mais l'arrivée des bergers le met en fuite.
c) Le chevalier viole la bergère.
La pastourelle met ainsi en scène la tentation d'un désir fou du chevalier hors du cadre et des normes de l'amour courtois.

ROMAN DE *TRISTAN* EN PROSE

Lai mortel d'Yseut

Le soleil luit clair et beau
Et j'entends le doux chant des oiseaux
Qui chantent parmi les arbrisseaux,
Autour de moi ils composent leurs chants nouveaux.

A cause de ce doux chant, de ce plaisir
Et d'Amour qui me tient dans ses filets
Je suis amenée à chanter, je fais mon lai,
J'en charme et agrémente ma mort.

Dolente et me rappelant mon deuil
Je vais accordant à ma mort
Mon chant qui n'est pas discordant ;
J'en fais un lai, doux et harmonieux.

Sur ma mort que je vois approcher
Je fais un lai qui sera bien aimé ;
Il devra bien toucher tous les amants
Car Amour me fait terrasser par la mort.

Joyeuse, triste, chantant, pleurant,
Je vais adorant Amour et Dieu.
Tous les amants, venez, accourez :
Voyez Yseut qui chante en mourant.

Je commence un lai de chant et de pleurs,
Je chante mon lai et je le pleure.

Chant et pleurs m'ont mise sur une telle voie
Que je n'en reviendrai jamais.

Ami Tristan, quand je vous sais mort,
Je maudis tout d'abord la mort
Qui prive de vous le monde,
Si elle ne me mord d'une semblable morsure.

Puisque vous êtes mort, je ne veux pas vivre,
A moins que je ne vous voie revivre.
Pour vous, ami, je m'abandonne à la mort :
Bientôt le monde sera délivré de moi.

Ami qui en valeur
L'aviez emporté sur tout le monde,
Si la mort vous avait oublié dans ses comptes[1],
Elle aurait agi courtoisement.

Mais quand elle vous a pris en compte
Et que le monde conte que vous êtes mort,
Si rois et comtes vous pleurent,
Ce n'est pas une nouvelle bien étonnante.

Ami, jamais il n'y aura personne qui vous vaille
Ni qui égale vos hauts faits.
Dans le monde il n'y a plus désormais que valetaille :
Nous avons bien changé le grain contre la paille.

Ami, par votre grande force
Fut occis mon oncle le fort[2].

1. *Conté :* dans cette strophe et dans la suivante, comme souvent d'ailleurs dans la littérature médiévale, l'équivoque joue sur « compter » et « conter ».

2. Allusion au Morholt, chevalier redoutable, frère de la reine d'Irlande. Venu réclamer au roi Marc un tribut humain, il fut tué par Tristan.

Marc en fut libéré du servage.
Vous êtes mort, par Dieu, c'est injuste.

Ami, de ce combat mortel
Vous seriez mort inévitablement
A cause du venin fatal,
Mais je vous guéris en ma tour.

Plus tard vous avez montré clairement
En Irlande, au tournoi,
Que Palamède[1] en vérité
N'était pas aussi valeureux que vous.

Après l'intervention de Palamède,
Ségurade vous mit à l'épreuve.
C'est là que Marc commença à vous haïr.
Après cela nous avons commencé à nous aimer.

Jamais depuis la création du monde
Ne fut un amour si parfait
Que celui-ci, car ni paroles ni actions
Ne purent jamais le détruire.

Quand nous fûmes venus dans le Morois[2],
Nous ne débattîmes de rien d'autre que d'amour ;
Là fut bien l'amour maintenu.
Il nous en est mal advenu.

Quand je me rappelle cette vie
Que je regrette tant maintenant,
Je dis que bienheureuse est l'amie
Qui meurt entre les bras de son ami.

1. Dans le *Tristan en prose*, chevalier épris d'Yseut.
2. Nom de la forêt où se réfugient Tristan et Yseut après la découverte de leur amour par le roi Marc.

Ami, j'ai bien gémi et bien pleuré,
Et manifesté une grande douleur
Car Amour que j'avais adoré
M'a transpercé le cœur,

Amour dans lequel j'avais mis mon espérance
Et mon espoir et ma confiance.
Comme on croit en Dieu, je ne croyais qu'en lui,
Mais maintenant il veut ma mort.

Adam, quand il perdit le paradis,
Ne subit pas jadis une perte comparable
A celle d'Yseut, et tandis
Qu'elle meurt, elle finit son chant.

Ami, puisque vous êtes mort pour moi,
Si je meurs pour vous, ce n'est pas étonnant ;
Je ne peux vous offrir d'autre réconfort
Que de mourir pour votre mort.

Tristan, ami, ami, ami,
Ce cœur que j'ai mis jadis
A vous aimer, sera bientôt maltraité
Et par votre épée mis à mort.

Épée, vous avez porté bien des coups,
Vous avez abattu bien des traîtres,
Mais il en va ainsi pour vous
Que votre dernier exploit sera de vous tourner contre [moi.

Ah ! Épée richement colorée,
Bientôt vous serez fichée dans mon cœur,
De mon propre sang vous serez teinte.
A cette fois m'a la mort atteinte.

La flamme d'Amour me fait mourir ;
Il me tourmente et m'enflamme tant
Qu'il me torture corps et âme.
Avant mon temps il me met dans la tombe.

Ami Tristan, Tristan ami,
Tant fera Dieu pour ma prière
Qu'en enfer ou en paradis
Mon âme demeurera près de votre visage.

Je meurs, je m'en vais par je ne sais quelle voie,
Je ne sais si elle me conduit bien ou m'égare.
Il me semble que Tristan me conduit,
Il me mène vers la maison d'Amour.

Ami, il est juste que j'éprouve
Pour vous la mort, je vois déjà le sentier
De la mort qui s'approche de moi.
Dieu ne veuille pas que je vive davantage !

A ce point mon lai s'achève.
En chantant et en pleurant va à sa fin
Yseut qui meurt par amour pur ;
Si bien ne mourut jamais aucune reine.

Mon lai s'achève, et vous, tous les amants,
Je vous prie de ne pas blâmer
Yseut si elle meurt en aimant :
A sa fin elle va, en appelant Tristan[1].

1. Voir « Biographies », p. 213.

Poésie religieuse

HÉLINANT DE FROIDMONT

Les vers de la Mort

Mort, qui m'as mis à muer
Dans cette étuve où le corps sue
Les fautes qu'il a commises dans ce monde,
Tu lèves sur tous ta massue,
Et personne ne change pour autant de peau,
Ni ne renonce à ses habitudes.
Mort, les sages te craignent :
Chacun court malgré cela à sa perte :
Celui qui n'y peut aller doucement s'y précipite.
C'est pour cette raison que j'ai changé d'état d'esprit
Et renoncé à jeu et à rage :
Il a eu bien tort de se mouiller celui qui ne s'essuie
[pas.
Mort, va-t'en à ceux qui chantent d'amour
Et qui se vantent de vanités,
Apprends-leur à chanter
Comme font ceux qui t'apprivoisent
En se retirant du monde
De manière que tu ne puisses les vaincre.
Mort, tu ne sais tromper

Ceux qui ont coutume de chanter ton chant
Et en retirent la peur de Dieu :
Le cœur qui peut enfanter tel fruit,
En vérité je peux le garantir,
Aucun de tes tours ne peut le vaincre.

Mort, qui as tes rentes partout,
Qui as les bénéfices de tous les marchés,
Qui sais dépouiller les riches,
Qui abats ceux qui se sont élevés,
Qui abaisses les plus puissants,
Qui sais bousculer les honneurs,
Qui fais trembler les plus forts
Et glisser les plus prudents,
Qui cherches les voies et les sentiers
Où l'on peut s'embourber :
Je veux mes amis saluer
De ta part, afin que tu les épouvantes.

Mort, je t'envoie à mes amis,
Non pas comme à des ennemis
Ni comme à des gens que je haïsse,
Mais je prie Dieu (qui a mis dans mon cœur
Que je lui rende ce que je lui ai promis)
Qu'il leur donne une longue vie, et la grâce
De bien vivre pendant tout le temps qui leur est [dévolu.
Mais toi qui joues à chasser
Ceux au cœur desquels Dieu n'a pas mis la peur,
Tu fais beaucoup de bien en menaçant.
Car la peur que l'on a de toi purge et secoue
L'âme comme dans un tamis.

Mort, qui nous as tous pris dans tes lacets,
Qui suscites partout un verglas
Qui nous fasse déraper,

Certes, il est vrai que je te hais,
Mais je ne hais pas ceux auxquels je t'envoie,
Je le fais au contraire pour leur bien,
Pour chasser loin d'eux la vanité
Qui s'efforce de les poursuivre avec ardeur
Jusqu'à ce qu'elle les ait mis échec et mat.
Mais qui te voit enlacer son âme
Et l'encercler de toutes parts,
Il est bien fou s'il ne laisse ses plaisirs.
[...]

Ah ! Dieu, pourquoi donc est tant désirée
La joie charnelle empoisonnée,
Qui corrompt tant notre nature
Et qui est de si courte durée ?
Par la suite on la paie bien cher.
Quel mauvais aiguillon est-ce là,
Qui fait prendre à crédit par l'âme, à un taux usurier,
L'amertume qui dure toujours
En échange d'une douceur qui est tout de suite passée.
Fuis, Débauche ! Fuis, Luxure !
Je ne me soucie pas de mets si coûteux,
J'aime mieux mes pois et ma purée[1].

Hélinant de Froidmont crée dans ses *Vers de la Mort* un genre qui sera souvent imité. Beaucoup d'œuvres au Moyen Age reprennent son titre. Ce genre a une unité thématique : l'appel à la Mort personnifiée et non plus la déploration de la mort d'un individu particulier, et une unité formelle, la strophe de douze octosyllabes connue sous le nom de strophe d'Hélinant (voir p. 208). On notera la force des images du poète, images bien propres à frapper et à effrayer, telle celle de ce verglas sur lequel la mort nous fait déraper.

1. Régime alimentaire traditionnel des moines, par opposition à tous les plaisirs du monde résumés par la bonne chère.

GAUTIER DE COINCI

Chanson à la Vierge

Amour, qui sait bien enchanter,
A fait tel chant chanter à beaucoup
  Que leurs âmes en déchantent.
Je ne veux pas chanter tel chant,
Mais je chante un chant nouveau pour celle
  Dont les anges chantent.

Vous tous, chanteurs, chantez à son sujet.
Ainsi vous enchanterez l'enchanteur
  Qui souvent nous enchante.
Si vous chantez la mère de Dieu,
Tous les enchanteurs seront enchantés.
  Il est né sous une bonne étoile celui qui la chante.

Qui veut sa gracieuse grâce
Doit gracieusement s'y engager,
  Car elle est si sage et gracieuse
Que nul ne peut être en grâce auprès d'elle
Sans abandonner entièrement
  Tout ce qui a trait à l'ennemi[1].

Jamais nul n'entrera en sa grâce
Avant d'avoir renoncé
  Pour elle à tous autres engagements.
Pour son amour renoncez-y !
Nul ne sera en la grâce du gracieux ami
  S'il n'est son ami à elle.

1. Mode de désignation courant pour le diable.

Mère de Dieu, tu as tant de prix
Qu'aucune langue ne peut te priser
Si bien apprise qu'elle soit.
Chacun te prise et moi aussi.
Tu es la rose où la fleur de prix
A pris sa chair précieuse.

Il a pris chair précieuse dans ton flanc,
Et ainsi a surpris le guetteur
Qui veut tous nous surprendre ;
Mais celui qui s'attache à te servir,
Son aguet ne le surprend pas.
Il fait bon s'attacher à toi.

Dame en qui sont tous les réconforts,
De mes péchés je me déconforte,
Mais une chose me réconforte,
C'est que nul n'est si déconforté
Qu'il ne soit par toi tôt réconforté.
Ton réconfort réconforte tout.

Dame, combien grands, combien forts
Sont ton secours et ton réconfort !
Tu as réconforté mainte âme.
Réconforte-moi. Tu possèdes un grand pouvoir de [réconfort :
Tu as réconforté l'Égyptienne[1],
Qui était déconfortée.

Douce dame, celui qui bien te sert
Mérite l'amour de ton doux fils.

1. Sainte Marie l'Égyptienne, d'abord pécheresse, convertie pour l'amour de la Vierge, et qui fait pénitence au désert pendant autant d'années qu'elle en a passé dans la débauche. Son exemple est très célèbre au Moyen Age, et de nombreux auteurs ont raconté sa vie, à commencer par Rutebeuf.

Il est bien juste que l'on te serve.
Tous ceux qui te serviront bien
Mériteront la joie sans fin.
Dieu me donne de la mériter !

Hélas ! jamais je n'ai mérité aucun bien,
Car j'ai si peu servi Dieu
Que mon âme a mérité la mort.
Dame, apprends-moi à servir de manière
A mériter la joie
Au milieu de laquelle tu es servie par les anges.

Douce dame, sans fin
On te doit servir finement[1].
Comme tu es affinée
Tu affines les tiens comme de l'or fin
Et tu leur donnes à la fin
La joie qui ne sera jamais finie.

Je prie celui pour finir
Qui voulut pour nous en croix finir,
Qui commence tout et finit tout,
Qui est origine et fin,
Qu'il nous rende à la fin si affinés
Que nous ayons la joie fine.
Amen.

Gautier de Coinci pratique le jeu de mots avec ivresse. Cette chanson d'amour à la Vierge passe ainsi par une chanson d'amour à la langue, qui la chante. On remarquera de quelle manière subtile le poète amène à la rime, dans les deux dernières strophes, le mot *fin*. Il le fait jouer de tous ses sens, dont bien sûr celui de clausule.

1. C'est-à-dire « parfaitement » : voir l'expression « fin'amor ».

Congés

JEAN BODEL

Congés

I

Pitié où je puise ma matière
M'enseigne à trouver satisfaction
A parler de mon cas.
Il n'est pas juste que mon intelligence diminue
Quel que soit le mal qui détruit mon corps[1],
Dont Dieu a fait sa volonté.
Puisqu'il m'a joué un mauvais tour,
Sans ruse et sans tromperie
Il est juste que je demande à chacun
Un don que personne ne me refusera,
C'est le congé, sans qu'on me contredise,
Car désormais je craindrais de leur nuire.

II

Je demande congé en tout premier lieu
A celui qui est le plus à ma disposition,
Et dont je dois le plus me louer :

1. Il s'agit de la lèpre. Jean Bodel doit se retirer dans une léproserie pour éviter de contaminer ses concitoyens.

Jean Boschet, que Dieu l'accompagne !
En pleurant je me rappelle soir et matin
Les biens que j'ai trouvés en toi.
Si je pleure souvent en cachette,
J'ai de bonnes raisons pour cela
Aujourd'hui, et d'encore meilleures demain.
Et cependant, si je ne vous vois pas,
Je vous envoie simplement mon cœur :
C'est tout ce qui en moi reste sain. [...]

XLI

Seigneurs, avant que je m'en aille,
Je vous prie pour finir,
Par le Christ et par sa Naissance,
Que vous leviez un impôt parmi vous
Pour bien achever cette bataille
Dont chacun doit avoir pitié :
Vous m'auriez mis dans une bonne situation
Si vous m'aviez installé à Miaulens[1].
Je ne connais pas de maison qui vaille davantage,
Le lieu m'a toujours plu,
Car on y trouve des gens charitables :
Je n'y manquerais de rien.

XLII

Dame, dont Dieu est le père et le fils,
Veuillez que mon cœur ne soit pas abattu
Quel que soit mon malheur,
Car je suis bien sûr
Qu'il n'y a rien qui soit tant à mon profit
Que de me comporter de telle manière
Que je demeure à votre service.
Puisse-t-il vous plaire qu'il en advienne ainsi
Et que toujours mon cœur soit attentif,

1. Léproserie apparemment réputée pour son confort relatif.

Quoi qu'il advienne du corps,
Et qu'il garde toujours le souvenir
D'enfer et de paradis.

XLIII

Dame, en qui sont toutes vertus,
Je prends congé de votre chandelle[1]
Que vous avez donnée aux jongleurs ;
J'ai renoncé à l'embrasser
En raison d'un mal qui m'a atteint de telle manière
Que je dois emprunter les chemins écartés.
Jamais plus je ne reviendrai auprès d'elle,
Mais je lui laisse mon amour pour toujours,
Et quand je serai au Petit Marché,
J'embrasserai la tour
Dans laquelle elle est installée,
Et j'aurai le cœur moins malheureux.

XLIV

Ah ! Ménestrels, doux compagnons,
Vous avez été pour moi de bons amis,
Comme il convient à de loyaux confrères :
Vous vous êtes souciés de me procurer de quoi vivre
Conformément à l'amitié et à la raison
Plus que si vous aviez été mes frères.
Dieu vous en récompense,
Ainsi que sa très douce mère
Qui vous a fait un si beau cadeau[2].
Priez que sa largesse se manifeste

1. La Chandelle de Notre-Dame-des-Ardants d'Arras, objet de dévotion mariale, dont le culte était tout particulièrement pratiqué par les « jongleurs » et ménestrels. Lors de la Fête des Ardants, les trouvères portaient la sainte Chandelle.
2. La fameuse Chandelle.

A mon égard, et la fasse prier son père
Et son fils pour qu'Il me pardonne.

XLV

A Dieu je veux vous recommander tous,
Globalement, sans nommer chacun,
Car il n'y a personne dont j'aie à me plaindre,
Mais au contraire je me loue de vous et dois bien
Il me faut me séparer de vous, [m'en louer.
Quoi que mon cœur en souffre :
Je dois m'habituer
A une bien étrange compagnie.
Dieu m'y donne la force de supporter
Le mal qui met à mal mon corps
Si bien qu'en le prenant en gré je puisse
Offrir mon âme à Dieu.

Ici se terminent les congés de Jean Bodel d'Arras.

ADAM DE LA HALLE
(dit Adam le bossu)

C'est le congé d'Adam

De quelque manière que j'aie passé mon temps,
Ma conscience m'a toujours fait connaître
Et conseillé le meilleur parti
Et me l'a tant dit et répété

Que j'ai renoncé à tout plaisir
Pour m'efforcer d'atteindre l'estime glorieuse.
Mais je pleure le temps que j'ai perdu,
Hélas ! dont j'ai dépensé la fleur
Dans le monde qui m'a amusé,
Mais c'est le pouvoir d'un seigneur (l'amour) qui m'y
Ce pourquoi chaque amant doit [a poussé,
Me tenir pour excusé de cette faute.

Arras, Arras, ville de procès
Et de haine et de calomnie,
Qui étiez si noble par le passé,
On va disant qu'on vous restaure,
Mais si Dieu n'y ramène pas le bien,
Je ne vois personne pour vous remettre en paix avec
On y aime trop l'argent, [Lui.
Chacun a été ici aussi avare que l'avait été Berthe
Quand elle avait la clef de la huche[1].
Adieu plus de cent mille fois,
Je vais entendre ailleurs l'Évangile,
Car ici on ne fait que mentir.

Encore qu'Arras soit égarée,
Il y reste quand même quelques hommes de bien,
Dont je veux prendre congé. [reniés par la ville,
Ils ont donné de grandes fêtes
Et tenu largement table ouverte,

1. Allusion à un proverbe, *« Berte fu a le mait ; s'ele en dona si en ait »* (Berthe a été à même de puiser à la huche aux provisions ; si elle en a donné, qu'elle en ait), cité dans un *exemplum* (courte histoire édifiante) qui figure dans un sermon de Jacques de Vitry : « Une femme nommée Berthe reçoit l'autorisation de puiser librement dans la fortune de son mari, mais elle se garde de rien donner aux pauvres. Elle meurt et le mari est sollicité de faire des aumônes pour aider l'âme de la défunte. Mais le veuf songe surtout à se remarier » et produit le proverbe français ci-dessus.

Habitude qui se perd,
Car on a fauché de si près l'herbe,
Qu'on en a coupé le collet.
Il en va de même de leurs divertissements.
Ils ont fait péché mortel
Ceux qui ont tant tiré de poissons à la rive
Qu'un tel vivier est vide[1].

Puisque j'en suis à prendre congé,
Je dois premièrement m'adresser
A ceux que je laisse avec le plus de regrets.
Je veux aller occuper mon temps plus sagement.
Nature n'est plus si tendre en moi
Que je fasse des chants ni des mélodies ni des lais ;
Les années raccourcissent mes élans,
J'abandonnerais volontiers
Ce à quoi j'attachais le plus de valeur.
J'ai trop été au nombre des laïcs,
Et j'en ai bien du dommage :
Mieux vaut avoir appris qu'apprendre.

Adieu, amour, très douce vie,
La plus joyeuse et la plus gaie
Qui puisse être hors du paradis.
Vous m'avez fait du bien pour une part,
Même si vous m'avez arraché à mes études ;
C'est par vous que je les reprends,
Car c'est de vous que je tire la volonté
De racheter la valeur et le prix
Que j'ai perdus par votre faute, non pas perdus,
Mais acquis en vous servant,
Car j'étais nu et dépourvu,
Auparavant, de toute courtoisie.

1. Série d'images faisant allusion aux impositions qui ont coupé les libéralités des mécènes.

Belle très douce amie chère,
Je ne peux faire bon visage,
Car je me sépare de vous plus malheureux
Que je ne le suis pour tout ce que je laisse derrière [moi.
De mon cœur vous serez trésorière
Et le corps ira ailleurs
Apprendre et acquérir art et habileté.
Vous prendrez part à mes progrès :
Plus j'aurai de valeur et plus vous en aurez le bénéfice.
Pour mieux la faire fructifier plus tard,
La troisième ou la quatrième année,
On laisse bien sa terre en jachère.

La strophe des *Congés*, qu'il s'agisse de ceux de Jean Bodel ou d'Adam de la Halle, est le douzain d'octosyllabes rimant *aab aab bba bba*, c'est-à-dire la « strophe d'Hélinant », forme inaugurée par Hélinant de Froidmont dans ses *Vers de la Mort* (voir p. 91). Cette forme est couramment employée jusqu'au XVe siècle dans la poésie d'inspiration grave.

Rutebeuf

Ici commence le dit des ribauds de Grève[1] :

Ribauds, vous voilà à point :
Les arbres dépouillent leurs branches
Et vous n'avez point de vêtement,
Si bien que vous aurez froid aux reins.
Comme vous apprécieriez les pourpoints
Et les surcots à manches fourrés !
Vous allez si allègres en été
Et en hiver si péniblement !
Vos souliers n'ont pas besoin d'être graissés :
Vous faites de vos talons semelles.
Les mouches noires vous ont piqués,
Maintenant les blanches à leur tour vous piqueront[2].

> Le contraste des deux saisons, hiver et été, qui donne naissance à ce court tableau ponctue l'œuvre de Rutebeuf. Ainsi les plaintes du poète sur le jeu de dés (griesche) se répartissent en une *Griesche d'hiver* et une *Griesche d'été*. Façon de dire le passage cyclique du temps et l'universalité du malheur ?

1. Il s'agit des débardeurs de la place de Grève, aujourd'hui place de l'Hôtel-de-Ville.
2. Les mouches blanches, c'est-à-dire les flocons de neige. L'image réapparaît dans le texte suivant : « La Griesche d'hiver ».

La « Griesche[1] » d'hiver

Vers le temps que l'arbre s'effeuille,
Quand il ne reste en branche feuille
    Qui n'aille à terre,
A cause de la pauvreté qui me terrasse,
Qui de toutes parts me fait la guerre
    Au temps d'hiver,
Ce dont ma situation est bien changée,
Je commence mon dit très misérable
    D'une pauvre histoire.
Peu de sens et peu de mémoire
M'a donné Dieu, le roi de gloire,
    Et peu de rentes,
Et froid au cul quand bise vente :
Le vent m'entoure, le vent m'évente
    Et trop souvent
Je sens à plusieurs fois le vent.
La griesche m'avait bien promis
    Tout ce qu'elle me livre :
Elle me paie bien, elle s'acquitte bien,
Pour un sou elle me rend une livre
    De grande pauvreté.
Pauvreté est de nouveau sur moi :
Sa porte m'est toujours ouverte,
    Toujours j'y suis
Et jamais je ne m'en suis échappé.
Mouillé par la pluie, séché par le soleil :
    Voilà un homme bien riche !
Je ne dors que mon premier sommeil.

1. La « grecque », c'est-à-dire un jeu de dés pratiqué dans les tavernes. Rutebeuf a écrit deux « griesches », celle d'été et celle d'hiver. L'expression désigne la malchance qui s'obstine sur le joueur. On peut traduire par la « guigne ».

Je ne sais la somme de mon bien,
    Car n'en ai point.
Dieu me fait les saisons si à point
Qu'en été noires mouches me piquent
    Et en hiver blanches.
Je suis comme l'osier sauvage
Ou comme l'oiseau sur la branche :
    En été je chante,
En hiver je pleure et lamente,
Et perds mes feuilles comme la branche
    Au premier gel.
Il n'y a en moi ni venin ni fiel :
Il ne me reste rien sous le ciel,
    Tout suit son cours.
Les tours que je savais
M'ont emmené tout ce que j'avais
    Et égaré
Et détourné de mon chemin.
J'ai risqué des coups insensés,
    Maintenant je m'en souviens.
Je le vois bien, tout va, tout vient ;
Il faut que tout aille, tout vienne,
    Sauf les bienfaits.
Les dés que les faiseurs de dés ont faits
M'ont défait de mes vêtements ;
    Les dés me tuent,
Les dés me guettent et m'épient,
Les dés m'assaillent et me défient,
    Cela me pèse.
Je n'y peux rien si je suis troublé
Je ne vois venir ni avril ni mai,
    Voici la glace.

La Complainte Rutebeuf[1]

Il n'est pas besoin que je vous raconte
Comment je me suis couvert de honte,
Car vous avez bien entendu ce conte[2].
[...]
Les maux ne savent pas venir seuls ;
Tout ce qui pouvait m'arriver
M'est arrivé.
Que sont mes amis devenus
Que j'avais si étroitement fréquentés
Et tant aimés ?
Je crois qu'ils sont bien clairsemés ;
Faute de les avoir entretenus,
Je les ai perdus.
De tels amis m'ont fait du mal,
Car jamais, tant que Dieu m'assaillit
De tous côtés,
Je n'en vis un seul dans ma maison.
Je crois que le vent les a emportés.
L'amitié est morte.
Ce sont amis que vent emporte,
Et il ventait devant ma porte ;
Ainsi il les emporta,
Si bien qu'aucun ne me réconforta,
Ni ne m'apporta un peu de son bien.
Ceci m'apprend que
Le peu de bien qu'on a, un ami le prend ;
Mais il se repent trop tard,

1. L'ancien français construit directement le complément du nom lorsque le déterminant désigne une personne ou un titre.

2. Il s'agit sans doute d'un des poèmes les plus célèbres de Rutebeuf ; conformément à l'habitude, nous coupons les lamentations circonstanciées de Rutebeuf sur son mariage et les mésaventures subséquentes, pour ne donner que le passage le plus connu.

Celui qui a mis en jeu
Son bien pour se faire des amis,
Quand il ne les trouve, ni entièrement ni à demi,
Prêts à le secourir.
Désormais je laisserai courir Fortune
Et je m'efforcerai de me tirer d'affaire
Si je le peux.

Cette complainte où Rutebeuf énumère les maux qui l'ont frappé est à lire comme un portrait de condition, tel celui que nous propose Colin Muset (voir p. 80). Elle se termine par une prière à Dieu et une requête, financière, au comte de Poitiers. La poésie médiévale, même quand elle fait entendre des accents personnels, n'est pas à interpréter comme le lyrisme romantique. L'apitoiement sur soi-même n'y est jamais une fin.

La Repentance Rutebeuf[1]

Il me faut abandonner la poésie,
Car je dois bien m'inquiéter
De l'avoir pratiquée si longtemps.
Mon cœur doit bien verser des larmes
Car jamais je n'ai su m'employer
A servir Dieu parfaitement,
Mais j'ai mis mon entendement
Au jeu et au divertissement,
Sans jamais daigner réciter le psautier.
Si au jour du Jugement n'est pas en ma faveur
Celle en qui Dieu s'incarna,
J'ai scellé d'une poignée de main un mauvais marché.

1. Poème aussi appelé, dans certains manuscrits, « La Mort Rutebeuf ».

Je viendrai bien tard au repentir,
Pauvre de moi, dont jamais le cœur insensé
N'a su éprouver ce qu'est la repentance
Ni ne s'est décidé à bien agir !
Comment oserais-je émettre un son
Quand même les justes auront peur ?
J'ai toujours rempli ma panse
Avec les biens d'autrui, de la substance d'autrui[1] :
Le bon clerc est celui qui ment le mieux !
Si je dis : « C'est par ignorance que j'ai péché,
Ignorant ce qu'est la pénitence »,
Je ne peux par là me garantir.

Me garantir ? Hélas ! De quelle manière ?
Dieu ne m'a-t-il pas fait une grande bonté
En me donnant sens et savoir
Et en me formant à son image ?
Il me manifesta encore davantage de bonté
En voulant mourir pour moi.
Il me donna assez de sens pour tromper
L'Ennemi[2] qui veut m'avoir
Et me jeter dans sa prison originelle,
Dont nul ne peut se racheter
Que ce soit en priant ou en offrant de l'argent :
Je ne vois personne qui en revienne.

J'ai fait les quatre volontés de mon corps,
J'ai fait des rimes et j'ai chanté
Contre les uns pour plaire aux autres[3],
Si bien que l'Ennemi m'a enchanté

1. Le « jongleur » ne gagne pas sa vie, à proprement parler, par des moyens honnêtes : il vit aux crochets d'autrui, péché très fortement condamné par la doctrine chrétienne.
2. Titre le plus courant donné par le Moyen Age au diable.
3. Rutebeuf fait ici allusion à ses nombreux textes polémiques, en particulier contre les ordres mendiants.

Et a rendu mon âme orpheline
Pour la conduire dans une demeure cruelle.
Si Celle en qui resplendissent tous les biens
Ne se soucie de mon sort,
Une mauvaise rente m'a donné
Mon cœur qui m'est si contraire :
Physiciens[1] ni apothicaires
Ne peuvent me donner la santé.

Je sais une physicienne
Telle qu'à Lyon ni à Vienne
Ni dans le monde entier
On ne saurait trouver si bonne chirurgienne.
Il n'est aucune plaie, si ancienne soit-elle,
Qu'elle ne sache nettoyer et assainir,
Dès lors qu'elle y applique ses soins.
Elle purifia de sa vie honteuse
La bienheureuse Égyptienne[2] :
Elle la remit à Dieu nette et pure.
En foi de quoi, qu'elle prenne soin
De ma pauvre âme chrétienne !

Puisque je vois mourir les faibles et les forts,
Comment me réconforterai-je en espérant
Pouvoir me défendre contre la mort ?
Je ne vois personne, si grand soit son pouvoir,
A qui elle n'ôte son point d'appui,
Et qu'elle ne mette à terre.
Que puis-je, sinon attendre la mort ?
La mort ne laisse ni les durs ni les tendres,
Quelque richesse qu'on lui présente ;
Et quand le corps est mis en cendre,

1. C'est-à-dire « médecins » ; mais le terme, repris deux vers plus bas, n'a pas de féminin en français moderne.
2. *Cf.* note au texte de Gautier de Coinci, p. 95.

Il faut rendre compte à Dieu
De tout ce qu'il fit jusqu'à sa mort.

J'ai tant fait que je n'en puis mais,
Il me faut rester en paix ;
Dieu fasse que ce ne soit pas trop tard !
Tous les jours j'ai aggravé mon cas,
Et j'entends dire aux clercs et aux laïcs :
« Plus le feu couve, plus il brûle. »
J'ai cru tromper Renart :
Ruses ni artifices ne servent de rien,
Car il est bien établi dans son palais.
Comme ce monde[1] tire à sa fin,
Il faut que je m'en aille ailleurs :
Je l'abandonne, à qui le veut.

Ici finit la Repentance Rutebeuf.

1. *Siècle :* désigne en général le monde profane par opposition à l'Autre Monde ; mais le terme n'a pas de valeur temporelle particulière.

Guillaume de Machaut

A toi, Henri...

Complainte

A toi, Henri, cher ami, je me plains :
Désormais je ne cours plus ni mont ni plaine,
Car je suis à pied sans cheval et sans selle
Et je n'ai plus Émeraude ni Belle
Ni Lancelot[1], ce qui me peine.
J'ai perdu la joie d'un tel divertissement.
Je suis piqué de l'aiguillon par mes ennemis
Qui ont mis en mon cœur beaucoup de tourments.
Je suis réduit en servitude, ce qui m'apparaît une
[chose bien basse,
Car il faut me mettre sur les murs de la ville ;
On veut que je veille aux portes
Et que je porte sur mon dos la cotte de fer ;
Ou alors il faut que j'aille demeurer ailleurs
Et que je laisse Reims, ce qui me réjouit peu.
Il y a encore une autre chose qui ne me plaît pas :
Ce sont maletôte, subside et gabelle,
Monnaie dévaluée et impôts,
Et la visite du pape.

1. Noms des chiens du poète, semble-t-il. Sans cheval et sans chiens, Guillaume ne peut plus aller à la chasse.

Il faut payer pour huit ans les trentièmes
Et sans délai, pour le roi, trois dixièmes.
Les diables pourront bien de cela venir à bout ;
Il faudrait exploiter une mine.
J'aimerais mieux être un porcher
Que de me voir ainsi écorché vif.
Et vraiment l'Église est si mise à mal
Que ses libertés ne valent pas une truite.
Et on dit que le roi d'Angleterre
Vient chercher ce qui me reste de substance.
Je suis malade et j'ai peu d'argent,
De même que mon frère, ce qui m'ennuie le plus.
Je crains ensuite d'être oublié
De mon vrai dieu sur terre que jamais je n'oubliai ;
Je la regrette souvent en soupirant.
Mais ce qui empire le plus mon mal,
C'est que je m'aperçois bien, de mon œil borgne,
Que dans une cour de roi, chacun agit pour soi,
Car il n'est personne, tant soit-il mon ami,
Qui mentionne ou retrace mes maux.
J'aime de plus la fleur de toutes les créatures
Et j'ai grand-peur qu'elle ne se soucie de moi.
Fortune est envers moi dure, amère et changeante
Qui ainsi fait trébucher ma charrette et la renverse.
C'est pour cela que je vais aller résider dans l'Empire,
Le cœur triste, soupirant doucement,
Car dans ce pays, je suis trop mis à mal, écorché.
Hélas ! je serai en exil dans l'Empire
Car je vois bien qu'il me faut l'être comme
Prêtre, comme laïque et en tant que bourgeois.
Mais je préfère de beaucoup liberté et peu d'argent
Que grande richesse et servitude.
Songes-y, ami, ai-je assez de malheurs ?
Par la foi que tu dois à Amour qui est mon seigneur,
Pleure avec moi et plains ma douleur,
Couvre de pleurs ton visage et ton teint,

Et dis à tous qu'ainsi, sans qu'on ne puisse rien me
[reprocher,
Je m'en vais en exil, et pourtant je n'ai pas mal agi :
Jamais plus, je ne composerai chant ou lai.
Je te dis : « A Dieu », car j'abandonne toute joie.

Cette pièce où se combinent tradition des *Congés*, dans le style de ceux d'Arras, et tradition de la complainte, à la manière de Rutebeuf, nous offre un tableau saisissant de l'état de la France, la Champagne ici, pendant la guerre de Cent Ans. Dévaluations monétaires, impôts, réquisitions pour monter la garde aux murs des villes s'abattent sur les clercs et les bourgeois. Guillaume de Machaut — c'est ce qui fait l'originalité de sa voix — mêle à ces plaintes circonstancielles très vivantes la plainte traditionnelle de l'amoureux courtois.

Je peux bien comparer ma dame...

Ballade

Je peux bien comparer ma dame
A la statue que fit Pygmalion.
Elle était d'ivoire, si belle et sans égale
Qu'il l'aima plus que Médée n'aima Jason.
L'insensé l'implorait toujours
Mais la statue ne lui répondait rien.
Ainsi fait celle qui fait fondre mon cœur,
Car toujours je la prie et elle ne me répond rien.

Pygmalion qui mourait d'aimer
Implora ses dieux avec une telle passion
Qu'il vit la froideur de l'image se transformer
En chaleur et sa dure apparence
S'attendrir, car elle prenait vie

Et chair humaine et parlait doucement.
Mais ma dame en cela me confond trop
Car toujours je la prie et elle ne me répond rien.

Qu'Amour veuille changer du dur au doux
Celle à qui j'ai donné mon cœur
Et son noble cœur animer de mon amour
En sorte que je puisse recevoir d'elle récompense.
Mais Amour accueille en elle
Un fier dédain, et je vois le grand désir
Qui me tuera ; je crois que ces trois font
Que toujours je la prie et elle ne me répond rien.

Narcisse était la figure du poète courtois du XIIe siècle, figure de l'immobilité, de la fascination par le reflet. Pygmalion devient celle du poète du XIVe siècle. Comme le sculpteur, le poète ne crée plus de sa voix, mais de sa main, des œuvres distinctes de lui. Rôle nouveau imparti à l'écriture. On est passé d'une magie du chant à une magie de l'objet.
Guillaume de Machaut, dans l'histoire de Pygmalion qui vient d'Ovide par le biais de l'*Ovide moralisé français*, texte du XIVe siècle que connaît bien le poète, met l'accent sur la métamorphose de la statue. Il voudrait voir sa dame se transformer ainsi. Prière subtile et forte.

Si je meurs d'avoir bien servi Amour...

Ballade

Si je meurs d'avoir bien servi Amour,
Il ne fait pas bon servir un tel seigneur
Et je n'ai pas, me semble-t-il, mérité la mort
En aimant bien d'un amour très loyal.
Mais je vois bien que mes jours sont finis

Quand je connais et vois à découvert
Qu'au lieu de bleu, dame, vous portez du vert.

Hélas ! dame, je vous ai tant chérie
En désirant la douceur de votre grâce
Que je n'ai plus esprit ni volonté en moi :
Mes soupirs et mes pleurs m'ont transformé.
Et mon Espérance est morte sans retour,
Lorsque Souvenir me montre à découvert
Qu'au lieu de bleu, dame, vous portez du vert.

Alors je maudis mes yeux qui vous ont vue,
L'heure, le jour et le très bel atour
Et la beauté qui ont ravi mon cœur,
Et le plaisir enivré de folie,
Le doux regard qui me mit dans l'erreur
Et Loyauté qui souffre et a souffert
Qu'au lieu de bleu, dame, vous portez du vert.

> Le vert est au Moyen Age une couleur ambivalente, signe positif de jeunesse et de renouveau ou signe négatif de changement mauvais. Ici, dans son opposition au bleu, symbole de loyauté, il a valeur négative et rend compte de la crainte de l'amant de trouver sa dame inconstante.

Pleurez, dame, pleurez votre serviteur...

Ballade

Pleurez, dame, pleurez votre serviteur,
Moi qui, toujours, ai mis mon cœur et mon soin,
Mon corps, ma pensée, mon désir, à servir
Votre honneur que Dieu protège et accroisse.

Vêtez-vous de noir pour moi
Car j'ai le cœur sombre et pâle le visage,
Et je me vois en péril de mort
Si Dieu et vous ne me venez en aide.

Je vous laisse mon cœur et le mets en votre garde
Et je présente mon âme dévotement à Dieu
Et que le reste aille où il doit aller :
La chair aux vers, car c'est leur juste lot ;
Et que les biens soient répartis
Entre les malheureux. Hélas ! dans ce parti,
Sur mon lit de mort, je vais à ma perte,
Si Dieu et vous ne me venez en aide.

Mais je suis sûr qu'il y a en vous tant de bien
Que vous me tirerez, sans délai,
Du péril où je suis, si du fond du cœur, en pleurant,
Vous priez Dieu qu'il consente à me guérir.
Et pour cela je vous supplie
Que vous veuillez pour moi implorer Dieu,
Ou je crains de payer le tribut de Nature
Si Dieu et vous ne me venez en aide.

On comparera cette ballade à celle qu'Eustache Deschamps compose à la mort de son maître Guillaume de Machaut (voir p. 123).
Les échos sont voulus, dans un discret hommage, du « Vêtez-vous de noir pour moi », de Guillaume, au « Vêtez-vous de noir, pleurez tous, Champenois », de la pièce d'Eustache.

Dégradé de la mémoire des hommes...

Ballade

Dégradé de la mémoire des hommes
Et des livres où il a été mis,
Maudit de Dieu, condamné par tous les saints,
Banni de la clarté des étoiles
    Puisse être le mois de Mars
Et brûlé et réduit en cendres par le sinistre feu d'enfer,
Lui et ses jours et toute sa puissance,
Lui qui m'a fait avoir au pied la goutte.

Qu'il ne soit point illuminé par le beau soleil
Ni éclairé et servi par la lune,
Mais qu'il soit ténébreux et obscur
Car il est ennemi de Nature.
    Dans les batailles, qu'il soit lâche
Et mis en déroute comme un vagabond, un pillard,
Ainsi que le roi de glace que je redoute,
Lui qui m'a fait avoir au pied la goutte.

Qu'il soit séparé et ôté des autres mois,
Et de Nature oublié et haï
Et qu'Avril soit glorifié, honoré,
Le beau, le doux, le courtois, le vif,
    Qui fleurit de toutes parts
Les prés, les bois, les champs et les contrées
Et me guérit malgré Mars et sa troupe,
Lui qui m'a fait avoir au pied la goutte.

Ces imprécations amusées contre le mois de mars permettent à Guillaume de Machaut de livrer, dans le refrain, un portrait volontairement disgracié de sa personne. Le poète révèle ainsi, voire revendique, des infirmités — goutte dans cette pièce, œil borgne dans la complainte que nous donnons p. 113 —, pour mieux affirmer, par rapport au chevalier ou au prince, son statut de clerc écrivain. Portrait de l'artiste en jongleur, pourrait-on dire.

Blanche comme le lis

Rondeau

Blanche comme le lis, plus vermeille que la rose,
Resplendissante comme rubis d'Orient,

En contemplant votre beauté sans pareille,
Blanche comme le lis, plus vermeille que la rose,

Je suis si transporté que mon cœur veille toujours
Afin que je serve selon la loi des purs amants,
Blanche comme le lis, plus vermeille que la rose,
Resplendissante comme rubis d'Orient.

Quand Colette cajole Colet...

Rondeau

Quand Colette cajole Colet
Elle le prend par le cou.

Mais c'est bien grande mélancolie
Quand Colette cajole Colet.

Car elle lie ses deux bras à son cou
En manière d'un doux collier.
Quand Colette cajole Colet
Elle le prend par le cou.

Ma fin est mon commencement...

Rondeau noté

Ma fin est mon commencement
Et mon commencement ma fin

Et vraie teneur.
Ma fin est mon commencement.

Mon triple, trois fois seulement,
Se rétrograde et ainsi prend fin.
Ma fin est mon commencement
Et mon commencement ma fin.

Ce rondeau polyphonique dit littérairement et musicalement l'essence de sa forme : le cercle, et le sens de son esthétique : l'énigme. Teneur et triple, qui désignent les voix extrêmes, sont composés des mêmes notes lues, par l'une à l'endroit, par l'autre à l'envers, « à l'écrevisse ». C'est ce que le texte désigne par l'expression *se rétrograde*.

Eustache Deschamps

Ballade sur la mort de Guillaume de Machaut

Armes, Amour, Dames, Chevalerie,
Clercs, musiciens, poètes français,
Tous les savants, toute la poésie,
Tous ceux qui ont une voix mélodieuse,
Ceux qui jouent de l'orgue parfois
Et qui tiennent cher le doux art de musique,
Prenez le deuil, pleurez, car c'est bien juste,
La mort de Machaut, le noble rhétoricien.

Jamais il ne parla d'amour follement,
Mais il a été dans tous ses dits courtois,
Et ses chansons ont beaucoup plu
Aux grands seigneurs, aux dames et aux bourgeois.
Ah ! Orphée, tu dois bien te lamenter,
Et regretter très sincèrement
Ainsi qu'Aréthuse et Alphée[1], oui, vous tous les trois,
La mort de Machaut, le noble rhétoricien.

1. Pour échapper aux poursuites d'Alphée, la nymphe Aréthuse fut transformée en fontaine par Artémis. Alphée se fit alors fleuve pour rejoindre sa bien-aimée. Ces deux figures apparaissent dans une ballade de Guillaume de Machaut : « Je prends congé des dames, de l'amour. » La douleur du poète est telle qu'il demande que sa forme soit convertie en larmes, comme avaient été changés en eau Aréthuse et Alphée. Eustache Deschamps se souvient de cette pièce.

Priez pour lui, que nul ne l'oublie :
Le bailli de Valois vous le demande,
Car à l'heure qu'il est il n'y a aucun homme en vie
Comme lui, et il n'y en aura pas de longtemps.
Il sera regretté de princes et de rois,
Pendant longtemps, pour son art ;
Vêtez-vous de noir, pleurez tous, Champenois,
La mort de Machaut, le noble rhétoricien.

Ballade sur la mort de Bertrand du Guesclin

Estoc d'honneur et arbre de vaillance,
Cœur de lion épris d'audace,
Fleur des preux et gloire de France,
Victorieux et hardi combattant,
Sage en actions et en entreprises,
    Souverain homme de guerre,
Vainqueur de peuples et conquérant de terres,
Le plus vaillant qui fut jamais en vie,
Chacun pour vous doit se vêtir de noir.
Pleurez, pleurez la fleur de chevalerie !

Ô Bretagne, pleure ton espérance !
Normandie, fais son enterrement,
Guyenne aussi, et Auvergne, avance-toi donc,
Et Languedoc, préoccupe-toi de son départ.
Picardie, Champagne et Occident
    Doivent pour pleurer se procurer
Des auteurs tragiques, aller querir Aréthuse[1]
Qui fut changée en eau à force de pleurer,

1. Voir la note du poème précédent.

Afin que sa mort serre le cœur de tous.
Pleurez, pleurez la fleur de chevalerie !

Hé ! gens d'armes, souvenez-vous de
Votre père, vous étiez ses enfants,
Le bon Bertrand, qui eut tant de puissance,
Qui vous aimait si tendrement ;
Il s'appelait Guesclin. Priez avec dévotion
  Qu'il puisse conquérir le Paradis.
Qui ne porte son deuil et ne prie pour lui, il a tort,
Car la lumière du monde est faillie.
Il était le gardien de tout honneur, en vérité.
Pleurez, pleurez la fleur de chevalerie !

La gloire de Bertrand du Guesclin, grand capitaine de la guerre de Cent Ans, héros de la reconquête sur l'ennemi anglais, a été immense. Il a fait en particulier, dès 1385, l'objet d'une chronique, vaste poème épique dû à Charles Cuvelier.
Eustache Deschamps déplore ici sa mort, survenue en 1380. François Villon se souvient de lui dans sa *Ballade des seigneurs du temps jadis* : « Où est Claquin le bon Breton ? »

Quand un homme a été jeune...

Ballade

Quand un homme a été jeune
Et que la vieillesse le surprend,
Alors, à cause de son grand âge,
Il devient moins qu'un enfant,
Et, assoté, à la légère
Toujours il parle, sans propos sérieux,

Et s'en va finissant ainsi.
Je ne vois que folles et que fous.

Le monde a la propriété
De ce vieillard : tout innocent
Fut-il après sa naissance,
Et puis sage pendant longtemps,
Juste, vertueux, plein de valeur ;
Maintenant il est lâche, chétif et ramolli,
Vieux, envieux et mal embouché :
Je ne vois que folles et que fous.

La fin s'approche, en vérité,
De tout âge et de toute chose vivante ;
Le sens n'a aucune autorité,
Mais la sottise apparaît bien :
Car chacun pour son plaisir recrute
Et veut avoir sottes et sots[1] ;
Tout va mal ; c'est pourquoi, pour conclure,
Je ne vois que folles et que fous.

Envoi

Prince, qui a fréquenté les sages
Et les gens de valeur, je l'ose bien dire,
Doit laisser telle misère.
Je ne vois que folles et que fous.

1. « Sotie », « sotes » et « sots » : ce n'est pas la sottise au sens moderne, mais une forme de folie qui met en évidence la bêtise des autres, et celle des institutions.

Ballade sur Paris

Quand j'ai la terre et la mer explorées,
Et que j'ai visité complètement
Jérusalem, Égypte et Galilée,
Alexandrie, Damas et la Syrie,
Babylone, le Caire et la Tartarie,
Et tous les ports qui s'y trouvent,
Les épices et les friandises qui s'y font,
Les fins draps d'or et la soie du pays,
Rien de tout cela ne vaut ce qu'ont les Français !
Rien ne se peut comparer à Paris.

C'est la cité couronnée au-dessus de toutes,
Fontaine et puits de sens et de clergie,
Située sur le fleuve de Seine :
Elle possède des vignes, des bois, des terres et des
De tous les biens de cette vie mortelle [prairies.
Elle a davantage que les autres cités ;
Tous les étrangers l'aiment et l'aimeront,
Car pour les distractions et la gaieté,
Jamais ils ne trouveront telle cité :
Rien ne se peut comparer à Paris.

Mais elle est bien mieux fortifiée qu'une autre ville,
Par des châteaux de grande antiquité,
Peuplée de gens d'honneur et de marchands,
De toutes sortes d'artisans d'armes, d'orfèvrerie ;
De tous les arts elle est la fleur, quoi qu'on dise :
Tous les ouvrages s'y font comme il convient ;
Vous verrez toujours avoir aux habitants
Art subtil et Entendement profond,
Et vous verrez Loyauté dans toutes leurs œuvres :
Rien ne se peut comparer à Paris.

Rondeau sur Paris

Paris sans égale, qui n'eus jamais ta pareille,
Qui demeure en ton enceinte ne peut être en péril,

S'il veut raisonnablement s'occuper de ses affaires ;
Tu es une cité inégalable dans tous les domaines,
Où chacun peut se procurer de quoi vivre.
Paris sans égale, qui n'eus jamais ta pareille,
Qui demeure en ton enceinte ne peut être en péril.

Je me prépare à y demeurer :
Par toi sont enrichis mille milliers
De pauvres gens, c'est pourquoi je veux m'y efforcer ;
Paris sans égale, qui n'eus jamais ta pareille,
Qui demeure en ton enceinte ne peut être en péril.

Adieux à Bruxelles

Rondeau

Adieu beauté, liesse et tous plaisirs,
Chants, danse et toutes distractions ;
Cent mille fois je me recommande à vous.

Bruxelles, adieu, où les bains sont agréables,
Les étuves, les fillettes plaisantes ;
Adieu beauté, liesse et tous plaisirs,
Chants, danse et toutes distractions.

Belles chambres, vins du Rhin et lits moelleux,
Lapins, pluviers, et chapons et faisans,
Douce compagnie et courtoises personnes ;

Adieu beauté, liesse et tous plaisirs,
Chants, danse et toutes distractions,
Cent mille fois je me recommande à vous.

Je suis bon astronome...

Rondeau

Je suis bon astronome,
Je sais bien quand il doit pleuvoir ;

Le dos me fait mal, je deviens goutteux,
Je suis bon astronome.

Hélas ! Je ne vaudrai jamais rien,
Dames, pour faire mon devoir.
Je suis bon astronome,
Je sais bien quand il doit pleuvoir.

Je suis assiégé...

Rondeau

Je suis assiégé dans la maison des champs,
Mes bons amis, venez lever le siège.

A cause de ma douleur, je chante des vers de tristesse ;
Je suis assiégé dans la maison des champs,

Où je me proclame triste, souffrant, malchanceux.
Le soin des enfants et le froid m'ont pris au piège.
Je suis assiégé dans la maison des champs,
Mes bons amis, venez lever le siège.

Comme nombre d'auteurs médiévaux, Eustache Deschamps aime jouer sur son nom ou son surnom. Sa petite maison « des Champs » ayant été pillée et brûlée en 1380 par les Anglais, il déclare qu'il doit s'appeler désormais, non plus Eustache, mais « Brûlé des Champs ».

Jean Froissart

On me dit...

Ballade

On me dit, ce qui m'étonne beaucoup,
Que dormir c'est perdre son temps.
En ce qui me concerne, je m'en étonne,
Car le sommeil vaut mieux pour moi
Que la veille. Voici mon argument :
Dormir met le corps à l'aise,
Et il n'est personne qui vive à malaise ;
Je n'ai nul bien si je ne dors.

Car en dormant je m'adresse,
Me semble-t-il, au dieu Morphée
Qui remet assez bien à l'endroit
Mes besognes, qu'on embrouille,
Car il me fait avoir sourires et plaisanteries
De ma dame, et bien des plaisirs,
Dont en veillant je suis bien loin ;
Je n'ai nul bien si je ne dors.

Il lui glisse en l'oreille
De me recevoir à merci ;
Et elle, qui n'a pas sa pareille
Pour faire des difficultés et donner des refus,
A sa prière les met de côté,

Et me dit : « Je t'accorde mon amour. »
Ainsi en dormant je vois des prodiges ;
Je n'ai nul bien si je ne dors.

> Le rêve, le songe jouent un rôle important dans la poésie des XIVe et XVe siècles. Ils peuvent servir de cadre aux œuvres ou donner lieu à des scènes essentielles de *dits*. Froissart accorde ici au rêve de réaliser les désirs de la veille.

Je ne désire voir...

Ballade

Je ne désire voir ni Médée ni Jason,
Je ne désire pas lire la mappemonde,
Ni assister à la musique ni aux mélodies d'Orphée,
Je ne veux pas voir Hercule qui explora tout le monde,
Ni Lucrèce qui fut si belle et pure,
Ni Pénélope non plus, car par saint Jacques,
Je vois assez, puisque je vois ma dame.

Je ne désire pas voir Virgile ni Platon,
Ni savoir par quel art ils eurent tant d'éloquence,
Je ne désire pas voir Léandre[1] qui sans vaisseau
Nageait dans la mer qui est forte et profonde,
Pour l'amour de sa dame blonde,

1. Léandre fait partie des amoureux célèbres de la mythologie ou de l'Antiquité, au destin tragique, tels Jason et Médée. Par amour pour Héro, sa dame, il traversait chaque nuit à la nage le bras de mer qui le séparait de cette dernière. Il mourut noyé une nuit de tempête. Son exemple est très souvent cité par les auteurs des XIVe et XVe siècles.

Ni voir aucun rubis, saphir, perle ou gemme :
Je vois assez puisque je vois ma dame.

Je ne veux pas voir le cheval Pégase
Qui court plus vite en l'air que ne vole l'hirondelle,
Ni la statue que fit Pygmalion,
Qui n'eut jamais d'égale,
Ni Éole qui bouleverse l'onde de la mer.
Si l'on veut savoir pourquoi, c'est pour cette raison,
[par mon âme :
Je vois assez, puisque je vois ma dame.

Calchas ne se peut trop émerveiller...

Ballade

Calchas[1] ne se peut trop émerveiller
En voyant les descendants
Du roi Brutus prospérer ainsi
Et remplir les sièges d'Albion
De la lignée du vaillant roi Pharamond.
Mais Helenus[2] dit que Fortune dort,
Et que maintenant sont avérés les sorts
Que Merlin[3] annonça à son maître Blaise.
Et Diane aux habitants du Nord
A bien tenu tout ce qu'elle leur avait promis.

Brutus dut quitter l'Italie,
Car il perdit par sa faute tout son territoire.

1. Devin des Grecs.
2. Devin des Troyens.
3. Il s'agit de l'enchanteur des romans bretons. Il apparaît avec son maître Blaise dans l'œuvre de Robert de Boron.

Il s'en alla alors prier la déesse
De lui donner en quelque lieu sa demeure,
Et il obtint une réponse à son gré.
Il prit la mer avec ses partisans,
Et Zéphyr venta pour eux si fort
Qu'il les amena et les mit en Albion.
Depuis Diane dans sa bienveillance leur
A bien tenu tout ce qu'elle leur avait promis.

Diane dit à Brutus : « Tu m'es très cher.
Tu t'en iras du côté du Nord,
Là où tu verras Phoebus se coucher.
Toi et les tiens, de génération en génération,
Demeurerez en possession de cette terre ;
D'autres encore, les dieux en sont d'accord,
Vous conquerrez, que ce soit à bon droit ou à tort. »
Et Brutus fit ce que dit Diane.
Depuis, si l'on y prend garde et si l'on s'en souvient,
[elle leur
A bien tenu tout ce qu'elle leur avait promis.

Cette ballade sur l'origine des rois anglais a sans doute été écrite par Froissart en l'honneur du roi d'Angleterre, le futur Richard II.
Le Moyen Age faisait remonter la dynastie anglaise à Brutus, arrière-petit-fils d'Énée.

Plus joyeusement ne peut passer le temps...

Rondeau

Plus joyeusement ne peut passer le temps
Un cœur, à mon avis, qu'en aimant d'amour ;

Pour affaiblir et délasser tous les soucis,
Plus joyeusement ne peut passer le temps,

Et amasser grande foison de joies.
J'ai ce dessein et je l'aurai toujours :
Plus joyeusement ne peut passer le temps
Un cœur, à mon avis, qu'en aimant d'amour.

Le temps perdu ne se peut retrouver...

Rondeau

Le temps perdu ne se peut retrouver,
En plus de la honte, il y a dommage en cette perte :

Je peux facilement le dire et le prouver,
Le temps perdu ne se peut retrouver.

Donc, celui qui veut très sagement agir,
En sa jeunesse doit s'attacher à bien aimer.
Le temps perdu ne se peut retrouver,
En plus de la honte, il y a dommage en cette perte.

Je peux comparer mes yeux à l'hirondelle...

Rondeau

Je peux comparer mes yeux à l'hirondelle,
Car elle vole, et eux aussi souvent ;

Mais en leur vol il n'est rien qui les appelle.
Je peux comparer mes yeux à l'hirondelle.

Si la belle m'envoyait un seul regard,
Très heureux je serais en ma jeunesse.
Je peux comparer mes yeux à l'hirondelle,
Car elle vole, et eux aussi souvent.

Christine de Pizan

CENT BALLADES

Seulette suis...

Ballade

Seulette suis et seulette veux être,
Seulette m'a mon doux ami laissée[1],
Seulette suis sans compagnon ni maître,
Seulette suis dolente et courroucée,
Seulette suis en langueur malheureuse,
Seulette suis plus qu'aucune autre égarée,
Seulette suis sans ami demeurée.

Seulette suis à la porte ou à la fenêtre,
Seulette suis, blottie dans un coin,
Seulette suis pour me repaître de pleurs,
Seulette suis dolente ou apaisée,
Seulette suis, il n'y a rien qui ne me plaise tant,
Seulette suis en ma chambre enfermée,
Seulette suis sans ami demeurée.

1. Cette ballade date des premiers temps du veuvage de Christine.

Seulette suis partout et en toute situation,
Seulette suis que je marche ou sois assise ;
Seulette suis plus qu'aucune créature sur la terre,
Seulette suis délaissée de chacun,
Seulette suis durement abaissée,
Seulette suis souvent tout éplorée,
Seulette suis sans ami demeurée.

Princes, désormais ma douleur a commencé :
Seulette suis de tous deuils menacée,
Seulette suis toute décolorée :
Seulette suis sans ami demeurée.

Seulette m'a laissée en grand martyre...

Ballade

Seulette m'a laissée en grand martyre,
En ce monde désert plein de tristesse,
Mon doux ami, qui en joie sans colère
Tenait mon cœur, et dans la liesse.
Maintenant il est mort, ce dont je suis oppressée par
[un si grand deuil,
Et ce dont une si grande tristesse mord mon
Qu'à jamais je pleurerai sa mort. [malheureux cœur

Je n'en puis mais, si je pleure et regrette
Mon ami mort : quelle merveille est-ce ?
Car lorsque mon cœur au fond de lui se rappelle
Comme j'ai vécu doucement sans rigueur
Depuis mon enfance et ma première jeunesse
Avec lui, une si grande douleur me mord
Qu'à jamais je pleurerai sa mort.

Je suis comme une tourterelle sans compagnon qui ne
[désire
Aucune verdure, mais se tourne vers ce qui est
[desséché,
Ou comme une brebis que le loup s'efforce d'occire,
Qui est toute troublée quand son berger la laisse ;
C'est ainsi que m'a laissée, en grande détresse,
Mon ami, ce dont j'éprouve une si grande peine
Qu'à jamais je pleurerai sa mort.

Hé ! Dieu ! que le temps me dure...

Ballade

Hé ! Dieu ! que le temps me dure,
Un jour m'est une semaine ;
Plus que longue pluie en hiver
M'est cette saison pénible.
Hélas ! car j'ai la fièvre quartaine,
Qui m'étourdit toute
Souvent et me remplit de tristesse :
C'est l'effet de la maladie.

J'ai la bouche plus amère que la suie,
Et le teint pâle et malsain.
A cause de la toux il faut que je m'appuie
Souvent, et le souffle me manque.
Et quand un accès me prend,
Je ne suis pas si hardie
Que je boive autre chose que de la tisane :
C'est l'effet de la maladie.

Je n'ai garde de m'enfuir ;
Car quand je me déplace, c'est avec peine,
Non pas l'espace d'une lieue,
Mais la largeur d'une chambre.
Encore faut-il qu'on me guide,
Et souvent je dois dire :
« Soutenez-moi, je suis épuisée. »
C'est l'effet de la maladie.

Médecins, je suis bien malade,
Guérissez-moi, car je mendie
La santé qui est bien loin de moi ;
C'est l'effet de la maladie.

Que ferons-nous de ce mari jaloux ?...

Ballade

Que ferons-nous de ce mari jaloux ?
Je prie Dieu qu'on le puisse écorcher.
Il nous surveille de si près
Que nous ne pouvons nous approcher l'un de l'autre.
Puisse-t-on le pendre à une mauvaise corde,
L'infâme, l'affreux, le vilain, contrefait par la goutte,
Qui tant de maux et tant d'ennuis nous fait !

Qu'il puisse être étranglé par les loups,
Vu qu'il ne sert à rien, sauf à être un obstacle !
A quoi est bon ce vieillard plein de toux,
Sinon à quereller, grogner et cracher ?
Le diable l'aime et le chérisse,
Je le hais trop, ce cocu, vieux et laid,
Qui tant de maux et tant d'ennuis nous fait !

Hé ! qu'il mérite bien qu'on le fasse cocu,
Le babouin qui passe son temps à espionner
Dans sa maison ! Ah ! quelle affaire ! Secoue
Un peu ses os pour le faire aller coucher,
Ou lui faire descendre, sans marcher,
A toute allure l'escalier, à ce vilain plein de ruse,
Qui tant de maux et tant d'ennuis nous fait !

J'ai ici écrit cent ballades...

Ballade

J'ai ici écrit cent ballades,
Toutes de ma manière.
Ainsi sont acquittées mes promesses
A celui qui m'en pria vivement.
Je m'y suis nommée clairement.
Qui le voudra savoir ou non,
En la centième entièrement
En écrit j'ai mis mon nom.

Et je prie ceux qui les auront lues,
Et qui les liront aussi,
Et partout où on les récitera,
Qu'on considère cela comme une distraction
Sans gloser méchamment là-dessus ;
Car je n'y pense que du bien,
Et au dernier vers clairement
En écrit j'ai mis mon nom.

Je ne les ai pas faites pour avoir
Du mérite, ni aucun paiement ;
Mais je les ai choisies

Dans mes pensées, et mon entendement
Suffirait bien peu
A les rendre dignes de renommée,
Et cependant pour finir
En écrit j'ai mis mon nom[1].

VIRELAI

Je chante pour dissimuler mes sentiments

Je chante pour dissimuler mes sentiments.
Mais mes yeux préféreraient pleurer,
Personne ne sait la peine
Qu'endure mon pauvre cœur.

Je cache ma douleur, parce
Que je ne trouve de pitié en personne,
Plus on a de raison de pleurer,
Moins on rencontre d'amitié.

C'est pourquoi plainte ni murmure
Je ne fais, de ma douleur pitoyable ;
Au contraire je ris quand je veux pleurer,
Et sans rime et sans mesure,
Je chante pour dissimuler mes sentiments.

1. Le vers refrain commence par « en escrit », qui compose l'anagramme de « Crestine ».

Cela vaut peu
De se montrer malheureux,
Ceux qui ont le cœur joyeux
Le trouvent ridicule.

Ainsi je ne me soucie pas de manifester
Mes états d'âme,
Mais, selon mon habitude,
Pour cacher ma peine obscure,
Je chante pour dissimuler mes sentiments.

CENT BALLADES D'AMANT ET DE DAME

La Dame

Ballade

Au lit malade, couchée,
Tremblant de dure fièvre aiguë,
Je suis, pour m'être trop appliquée
A aimer, ce qui me tourmente tant
Qu'il y a là, ce me semble, plus de venin
Que dans la ciguë, ce dont je meurs
Sans jamais plus sortir de chez moi,
Car déjà le cœur me manque.

Adieu à celui qui m'a séduite
Et puis me fait mourir par trahison ;
Puissé-je en être un jour vengée,
Car il m'a méchamment trompée.
Que toutes les dames connaissent
Cet exemple, afin que telles amours
Ne troublent pas leurs cœurs,
Car déjà le cœur me manque.

Adieu, Amour ; je suis près
De la mort, par ta faute ; j'en sue
Déjà la sueur, et je suis fixée
A ce pas. Puisse mon âme n'être
Pas perdue, mais reçue par Dieu.
Adieu, monde, adieu, honneurs,
Mes yeux ne voient plus et ma voix défaille,
Car déjà le cœur me manque.

Priez que Dieu me
Reçoive ; adieu, frères et sœurs,
Je m'en vais sans attendre,
Car déjà le cœur me manque.

JEUX A VENDRE

Je vous vends la passerose.
— Belle, je n'ose vous dire
Comment Amour m'attire vers vous,
Vous l'apercevez bien sans que je le dise.

Je vous vends la feuille tremblante.
— Maints faux amants, par leur attitude,
Font paraître vrai grand mensonge :
On ne doit pas tout croire.
[...]

Je vous vends le perroquet.
— Vous êtes beau et bon et gai,
Seigneur, et en tout cas bien poli ;
Mais je n'ai jamais appris à aimer,
Je ne saurais m'y mettre
Ni entreprendre d'aimer d'amour.
[...]

Je vous vends la tourterelle.
— Seulette et solitaire,
Sans compagnon elle s'envole égarée,
C'est ainsi que je suis demeurée,
Et jamais je n'aurai de joie
Quoi que j'entende.

Les *jeux à vendre* sont un divertissement, un jeu de société, consistant dans la composition improvisée de petits poèmes proches de l'épigramme à partir du nom d'un objet lancé au hasard par un membre de la compagnie courtoise.

Alain Chartier

LA BELLE DAME SANS MERCI

L'Amant vient de se lamenter pendant trois strophes à peu près, en employant tous les lieux communs de la courtoisie.

XXVIII

Quand la dame entendit ce langage.
Elle répondit tout bas
Sans changer de contenance ni d'intention,
Mais de manière très mesurée :
« Beau seigneur, ces folles pensées
Ne vous laisseront-elles jamais ?
Ne penserez-vous pas par un autre moyen
A mettre votre cœur en paix ? »

XXIX L'Amant

« Nul ne pourrait le mettre en paix
Si ce n'est vous qui y avez mis la guerre
Quand vos yeux écrivirent la lettre
Par laquelle vous m'avez fait défier,
Et que vous m'avez envoyée par Doux Regard,
Héraut de ce défi,
Par l'intermédiaire de qui vous m'avez invité
En me défiant à avoir confiance. »

XXX La Dame

« Il désire beaucoup vivre dans le deuil
Et garde bien mal son cœur,
Celui qui, contre un seul regard,
Ne peut défendre sa paix et sa joie.
Si moi ou une autre vous regarde,
Les yeux sont faits pour regarder.
Je n'y prends pas autrement garde,
Qui en souffre s'en doit garder. »

XXXI L'Amant

« Si quelqu'un blesse autrui par aventure,
Par la faute de celui qu'il blesse,
Quoiqu'il n'en puisse mais en vérité,
Il n'en éprouve pas moins remords et tristesse.
Et puisque ce n'est ni fortune ni rudesse
Qui m'ont causé tort,
Mais votre très belle jeunesse,
Pourquoi le dédaignez-vous ? »

XXXII La Dame

« Je n'ai contre vous ni dédain ni agressivité
Ni n'en eus jamais ni n'en veux avoir,
Pas plus que trop d'amour ou que trop de haine,
Et je ne veux rien savoir de vos états d'âme.
Si votre imagination vous fait sentir
Que peu de chose peut trop plaire
Et si vous voulez vous tromper,
Je ne veux pas en faire autant. »

XXXIII L'Amant

« Quelle que soit l'identité de celui qui m'a causé [ce mal,
Mon imagination ne m'a pas trompé,
Mais Amour m'a si bien donné la chasse

Que je suis tombé en vos rets.
Et puisque ma destinée a voulu
Que je sois entre vos mains à votre merci,
Si tomber en votre pouvoir a été pour moi une
[malchance,
Celui qui meurt plus vite languit moins
[longtemps. »

XXXIV La Dame

« Si gracieuse maladie ne met guère les gens à
Mais cela fait bien de le dire [mort,
Pour obtenir plus vite un réconfort.
Tel se plaint et se lamente fort
Qui n'éprouve pas les plus âpres douleurs.
Et si Amour blesse si cruellement, en somme,
Mieux vaut un malheureux que deux. »

Le débat se poursuit ainsi pendant soixante strophes.

XCV L'Amant

« Puisque pas un seul mot de grâce
Ne sort de votre cœur rigoureux,
J'en appelle devant Dieu qui m'entend
De votre dureté qui me met à mal,
Et je me plains qu'il n'ait pas achevé son
[entreprise
Puisqu'il oublia de placer en vous Pitié,
Ou qu'il ne mette pas un terme à ma vie
Qu'il a si vite oubliée. »

XCVI La Dame

« Mon cœur et moi ne vous avons jamais
Rien fait dont vous dussiez vous plaindre.
Rien ne vous nuit si ce n'est vous-même.
Soyez votre propre juge.

Une fois pour toutes admettez
Que vous demeurerez rebuté.
A force de répétitions vous m'ennuyez,
Car je vous en ai assez dit. »

Pour des raisons formelles, esthétiques et philosophiques, le goût de la fin du Moyen Age se porte en littérature vers les organisations numérales. De même que Christine de Pizan a composé des recueils et des livres de *Cent Ballades* et de *Cent Ballades d'amant et de dame*, Alain Chartier construit *La Belle Dame sans merci* sur un nombre rond : cent huitains d'octosyllabes.

Charles d'Orléans

Des nouvelles ont couru en France...

Ballade

Des nouvelles ont couru en France,
Par maints lieux, comme quoi j'étais mort ;
Ce dont avaient peu de déplaisir
Certains qui me haïssent à tort ;
D'autres en ont eu du chagrin,
Qui m'aiment de bon cœur,
Comme de bons et vrais amis,
C'est pourquoi je fais savoir à tous
Qu'encore est vive la souris !

Je n'ai eu ni maladie ni souffrance,
Dieu merci, mais je suis sain et fort,
Et passe le temps dans l'espérance
Que paix, qui trop longuement dort,
S'éveillera, et par un accord
Donnera joie à tous.
Pour cette raison, que Dieu maudisse
Ceux qui sont bien tristes de voir
Qu'encore est vive la souris !

Jeunesse a tout pouvoir sur moi,
Mais Vieillesse met ses efforts
A m'avoir sous sa domination ;

Pour l'instant elle n'a pas de chance.
Je suis assez loin de son port,
Je veux épargner des larmes à mon héritier ;
Loué soit Dieu de Paradis,
Qui m'a donné force et santé, si bien
Qu'encore est vive la souris !

Que personne ne porte pour moi le noir,
On vend à meilleur marché le drap gris ;
Que désormais chacun sache, pour de bon,
Qu'encore est vive la souris !

Je meurs de soif auprès de la fontaine...

Ballade

Je meurs de soif auprès de la fontaine ;
Tremblant de froid au feu des amoureux ;
Aveugle suis, et pourtant je mène les autres ;
Pauvre de sens, parmi les sages, l'un d'eux ;
Trop négligent, souvent vainement songeur ;
Ma destinée relève d'un enchantement,
En bien et en mal menée par Fortune.

Je gagne du temps et perds maintes semaines ;
Je joue et ris, quand je me sens en peine ;
J'ai déplaisir rempli d'espérance ;
J'attends le bonheur, angoissé de regrets ;
Rien ne me plaît, et pourtant je suis plein de désirs ;
Je me réjouis et m'irrite de ma pensée,
En bien et en mal menée par Fortune.

Charles d'Orléans et Marie de Clèves.

Je parle trop et me tais à grand-peine ;
Je m'effraie, et pourtant suis courageux ;
Tristesse est en possession de mon réconfort ;
Je ne peux faillir, au moins à l'un des deux ;
Je fais bon visage quand je suis dans la douleur ;
Maladie m'est donnée en pleine santé,
En bien et en mal menée par Fortune.

Prince, je dis que mon sort malheureux
Et mon profit aussi avantageux
Je risquerai au jeu quelque année,
En bien et en mal menée par Fortune.

Je n'ai plus soif, tarie est la fontaine...

Ballade

Je n'ai plus soif, tarie est la fontaine ;
Bien échauffé, sans le feu amoureux,
Je vois bien clair, et cependant on ne manque pas de
[me conduire ;
Folie et Sens me gouvernent tous deux ;
En Nonchaloir[1], je m'éveille plein de sommeil.
C'est de ma destinée une chose diverse,
Ni bien, ni mal, à l'aventure mené.

Je gagne et perds, dépensant ma vie au gré des
[semaines ;
Rires, Jeux, Plaisirs, je n'en tiens pas compte ;
Espoir et Deuil me mettent hors d'haleine ;

1. L'une des personnifications clefs du système poétique de Charles d'Orléans, qui désigne en quelque sorte le retrait du monde, l'indifférence aux choses.

Chance, en me flattant, m'est pourtant trop [rigoureuse ;
D'où vient que je rie et me plaigne ?
Est-ce par sens ou par folie ?
Ni bien, ni mal, à l'aventure mené.

Je suis récompensé d'un cadeau de douleur ;
En combattant, je deviens courageux ;
Joie et Souci m'ont en leur possession ;
Tout déconfit, je me tiens au rang des preux ;
Qui saurait dénouer pour moi tous ces nœuds ?
Une tête d'acier, bien armée, n'y réussirait pas,
Ni bien, ni mal, à l'aventure mené.

Vieillesse me fait jouer à de tels jeux,
Perdre et gagner, tout cela par ses conseils ;
J'ai joué en pure perte cette année[1],
Ni bien, ni mal, à l'aventure mené.

Écolier de Mélancolie...

Ballade

Écolier de Mélancolie,
A l'étude je suis venu,
Épelant avec un fétu
Les lettres de mondaine clergie,
Et je m'y trouve fort éperdu.
Je ne sais lire ni écrire,
Battu des verges de Souci,
Aux derniers jours de ma vie.

1. En ancien français : *jouer à la faille.* Le nom de ce jeu fait équivoque avec le substantif *faille* du verbe *faillir*, qui signifie la perte, le manque.

Il y a longtemps, dans ma jeunesse en fleur,
Quand j'étais de vif entendement,
J'aurais appris en une heure et demie
Plus que maintenant ; j'ai tant vécu
Qu'en ce qui concerne l'esprit je me sens vaincu ;
On aurait bien dû, sans flatterie,
Me châtier, dévêtu, tout nu,
Aux derniers jours de ma vie.

Que voulez-vous que je vous dise ?
Je suis considéré comme un ânier,
Banni de Bonne Compagnie,
Et retenu par Nonchaloir
A son service. L'affaire est close !
Qu'étudie à ma place celui qui le voudra !
Je m'y suis mis trop tard,
Aux derniers jours de ma vie.

Si j'ai mal dépensé mon temps,
Je l'ai fait, par conseil de Folie ;
Je le ressens et l'ai bien éprouvé,
Aux derniers jours de ma vie.

Poète et héros face à la mélancolie

Le héros médiéval, à l'origine, est choisi par le destin. Son corps porte la marque de cette élection divine, par sa beauté et par un excès de *bile noire* venant de la rate, selon l'anatomie antique, entièrement reprise par les médecins médiévaux. Son caractère est sombre, il parle peu : il est mélancolique (de *melanos*, « noir », en grec). Puisqu'il a accès aux choses divines, il se détache du monde quotidien et s'enferme petit à petit dans son délire poétique.
La Renaissance et l'âge romantique sauront tirer parti de cette mélancolie (qu'on pense aux *Fleurs du mal* de Baudelaire, ou au *Bestiaire* d'Apollinaire, dans lequel elle est comme un avant-goût de l'immortalité). Mais au Moyen Age, elle est comptée encore comme un

péché capital, au même titre que l'envie et la luxure. L'Église accuse le mélancolique de se détacher du monde, qui est œuvre de Dieu. Il sombre dans un dégoût de vivre (ou *taedium vitae*) qui le rend vulnérable aux tentations du Diable. Enfin, cet état peut aller jusqu'à la folie (la *fureur*), et le malade n'entend même plus la raison ; il faut un exorcisme. La légende de Faust illustre cette idée.
Les héros et les poètes médiévaux sont donc pris entre une conception antique et bénéfique de leur inspiration, et une mise en garde sévère de leur Église.

Écolier de Mélancolie...

Rondeau

Écolier de Mélancolie,
Des verges de Souci battu,
Je suis à l'étude tenu,
Dans les derniers jours de ma vie.

Si j'ai ennui, n'en doutez mie,
Quand me sens vieillard devenu,
Écolier de Mélancolie,
Des verges de Souci battu.

Pitié convient que pour moi prie
Qui me trouve tout éperdu ;
Mon temps je perds et ai perdu,
Comme rassoté en folie[1],
Écolier de Mélancolie.

1. Retombé en enfance.

L'habit le moine ne fait pas...

Rondeau

L'habit le moine ne fait pas,
L'ouvrier se connaît à l'ouvrage
Et plaisant maintien de visage
Ne montre pas toujours le cas.

Aller tout doucement le pas
N'est que contrefaire le sage :
L'habit le moine ne fait pas,
L'ouvrier se connaît à l'ouvrage.

Subtil sens couché par compas[1],
Enveloppé en beau langage,
Musse[2] le vouloir du courage[3] ;
Cuidier[4] trompe en maints états :
L'habit le moine ne fait pas.

Dedans mon Livre de Pensée...

Rondeau

Dedans mon Livre de Pensée,
J'ai trouvé écrivant mon cœur
La vraie histoire de douleur,
De larmes tout enluminée.

1. Agencé selon la règle.
2. Masque, cache.
3. Cœur.
4. Présomption, opinion, apparence.

En effaçant la très aimée
Image de plaisante douceur,
Dedans mon Livre de Pensée.

Hélas ! Où l'a mon cœur trouvée ?
Les grosses gouttes de sueur
Lui saillent[1], de la peine et du labeur
Qu'il y prend, et nuit et journée,
Dedans mon Livre de Pensée.

Les fourriers d'Été sont venus...

Rondeau

Les fourriers d'Été sont venus
Pour appareiller son logis,
Et ont fait tendre ses tapis,
De fleurs et de verdure tissus[2].

En étendant tapis velus,
De verte herbe par le pays,
Les fourriers d'Été sont venus.

Cœurs d'ennui pieça[3] morfondus,
Dieu merci, sont sains et jolis[4] ;
Allez-vous-en, prenez pays[5],
Hiver, vous ne demeurerez plus ;
Les fourriers d'Été sont venus !

1. Littéralement : « sautent », c'est-à-dire « jaillissent », « coulent ».
2. Tissés.
3. Depuis longtemps.
4. Gais.
5. Prenez du champ.

Le temps a laissé son manteau...

Rondeau

Le temps a laissé son manteau
De vent, de froidure et de pluie,
Et s'est vêtu de broderie,
De soleil luyant[1] *clair et beau.*

Il n'y a bête, ni oiseau,
Qui en son jargon ne chante ou crie :
Le temps a laissé son manteau !

Rivière, fontaine et ruisseau
Portent, en livrée jolie,
Gouttes d'argent d'orfèvrerie,
Chacun s'habille de nouveau :
Le temps a laissé son manteau.

Puis çà, puis là...

Rondeau

Puis çà, puis là,
Et sus et jus,
De plus en plus,
Tout vient et va.

Tous on verra
Grands et menus,
Puis çà, puis là,
Et sus et jus.

1. Qui luit.

Vieux temps déjà
S'en sont courus,
Et neufs venus,
Que dea ! que dea !

Puis çà, puis là,
Et sus et jus,
De plus en plus,
Tout vient et va.

Charles d'Orléans explore dans ce rondeau les limites du langage. Il propose une poésie de l'interjection et de l'adverbe où comptent moins, pour faire sens, les mots pleins que le rythme et la matière sonore.

René d'Anjou

LE LIVRE DU CŒUR D'AMOURS ESPRIS

Épitaphes[1]

Ovide fut mon nom, déposé et placé ici.
Je fus de Sermonna et fus un grand ami
Du dieu des amoureux, et je voulus mettre l'art
[d'amour
En beaux vers tout en détail, selon la vérité,
Afin que par mes soins l'art d'aimer soit exalté ;
Et pour cette raison, vous tous amants, quand vous
[serez troublés,
Ayez toujours en mémoire mes faits et mes paroles,
Vous en retirerez des mérites au très beau paradis
Des nobles amoureux, et vous saurez comment
Un amant doit se comporter à l'égard de sa dame
Très bien et sagement, comme il convient et sied.
Songez-y, ne manquez pas à ce devoir.

1. Il s'agit d'une série d'inscriptions en vers (une strophe de douze alexandrins) figurant sur les tombes du cimetière d'Amour. Avant celles des poètes, il y a eu celles des amoureux célèbres, depuis l'Antiquité jusqu'au XVe siècle.

Guillaume de Machaut, c'est ainsi que j'avais nom.
Je naquis en Champagne, et j'eus la réputation
D'être très embrasé de pensées amoureuses
Pour l'amour d'une dame, en vérité, dont je n'obtins
[guère de bonheur
Pendant ma vie sauf quand je pus la voir,
Mais je ne renonçai pas pour cela, pour vous dire la
[vérité,
A faire dits et chansons aussi longtemps que dura ma
Tellement je désirais fortement lui plaire, [vie,
Si bien que je lui donnai totalement corps et cœur
Et fis maintes ballades, complaintes et virelais,
Et puis incontinent, en vérité[1], je rendis l'âme à Dieu,
Et mon corps gît ici sous cette lame.

Tapisseries[2]

Mon droit nom est Oiseuse, qui vais toujours la
[première,
Car je porte d'Amour, en vérité, la bannière,
Comme celle qui peut et doit le mieux la porter,
Car je ne me soucie que de me divertir,
Offrant toujours visage gai et joyeux,
Toujours prête à chanter, danser et chahuter,

1. Toute cette strophe repose sur la lecture du *Voir dit* de Guillaume de Machaut, et la « clef » en est donnée par la triple répétition du mot « voir », c'est-à-dire « vrai ».

2. Il s'agit de la description des « tapisseries » qui décorent la « salle d'Amour », elles sont au nombre de dix, décrites chacune par une strophe de huit alexandrins. La plupart des personnifications qui se présentent sont empruntées au *Roman de la Rose*, de Guillaume de Lorris et Jean de Meun (ce dernier a d'ailleurs une épitaphe dans le cimetière d'Amour).

René d'Anjou. Le Livre du Cœur d'Amours espris.

Et à faire porter ma grande traîne par Jeunesse
Qui ne répugne pas à me servir.

Je suis un bel archer courtois et attrayant
Qui ai nom Regard, et aussi Beau Semblant,
Et mon service est de tirer les traits qui partent d'yeux
[riants.
S'en garde qui voudra, pour de bon ou par jeu,
Car je ne fais grâce à personne.
Pauvre ou riche, jeune ou vieux ;
Amour l'a ordonné, et je le veux aussi,
Afin que nul ne s'en aille moquant.
[...]

Je suis nommé Souvenir, et moi Songerie,
Et nous forgeons sans cesse, comme vous le voyez ici,
Fleurettes d'ancolie et de soucis toujours
Sur l'enclume de peine, avec des marteaux de
[souffrances,
Pour faire des guirlandes de fleurs d'infortune
Aux douloureux amants qui ont une dame sans merci.
S'en satisfasse qui voudra, c'est le salaire d'Amour.
Telle en est la façon ; il faut qu'il en soit ainsi.

François Villon

LE LAIS

I

L'an quatre cent cinquante-six,
Je, François Villon, écolier,
Considérant, de sens rassis,
Le mors aux dents, franc du collier,
Qu'on doit peser ses actes,
Comme Végèce[1] le raconte,
Sage Romain, grand conseiller,
Ou autrement, on risque des mécomptes...

II

En ce temps que j'ai mentionné plus haut,
A l'époque de Noël, morte saison,
Quand les loups se nourrissent de vent
Et qu'on se tient en sa maison,
A cause du froid, près des tisons,
Me vint le désir de briser
La très amoureuse prison
Qui mettait en pièces mon cœur.

1. *Végèce :* écrivain latin (fin IVe s.-début Ve s.), auteur d'un *Traité de l'art militaire* qui a été traduit au Moyen Age par Jean de Meun. L'invocation de l'autorité de Végèce suggère que François Villon va dresser un plan de campagne.

III

Je le fis ainsi,
En la voyant devant mes yeux
Consentante à ma perdition,
Sans que jamais cela la satisfasse ;
De cela je me lamente et me plains aux cieux,
En requérant contre elle vengeance,
Auprès de tous les dieux amoureux,
Et pour moi allégement de la peine d'amour.

IV

Et si j'ai pris comme favorables
Ces doux regards et beaux semblants
A la saveur très trompeuse,
Qui me transperçaient jusqu'aux flancs,
Ils m'ont bien fait défaut[1]
Et me manquent au moment critique.
Il me faut planter d'autres semences
Et frapper ailleurs ma monnaie[2].

V

Il m'a pris, le regard de celle
Qui s'est montrée envers moi félonne et cruelle :
Sans que j'aie commis aucune faute,
Elle veut et ordonne que j'endure
La mort, et que je ne survive pas ;
Je n'y vois d'autre secours que la fuite.
Elle veut rompre notre vif lien,
Sans entendre mes regrets pitoyables.

1. Nous traduisons ainsi le vers : « Bien ils ont vers moy les piés blancs », qui offre une métaphore empruntée au registre équestre. L'expression « cheval aux pieds blancs » désigne un cheval en qui on ne peut se fier.

2. Ces métaphores (plantation, forge des monnaies) font allusion aux relations sexuelles. Le poète signifie qu'il doit se procurer une autre amie.

VI

Pour remédier à ces dangers,
Le mieux que je puisse faire, c'est, je crois, de partir.
Adieu ! Je m'en vais à Angers :
Puisqu'elle ne veut pas m'accorder
Sa grâce, ni m'en donner la moindre parcelle.
Je meurs par elle, en pleine santé ;
En bref, je suis amant martyr
Au nombre des saints amoureux.

LE TESTAMENT

Je plains le temps de ma jeunesse...

XXII

Je plains le temps de ma jeunesse
Pendant lequel j'ai plus qu'un autre fait la noce
Jusqu'à l'entrée de vieillesse
Qui m'a caché son départ.
Il ne s'en est pas allé à pied
Ni à cheval, hélas ! Comment alors ?
Soudainement il s'est envolé,
Et ne m'a laissé aucun don.

XXIII

Il s'en est allé, et je demeure,
Pauvre de sens et de savoir,
Triste, découragé, plus noir qu'une mûre,

Moi qui n'ai écus ni rentes ni biens ;
Le moindre des miens, je dis la vérité,
S'empresse de me désavouer,
Oubliant son devoir naturel,
Parce que je manque d'un peu d'argent.

XXIV

Du moins je ne crains pas d'avoir dépensé
En gourmandise ou en débauche ;
Je n'ai rien vendu, pour avoir trop aimé,
Que mes parents puissent me reprocher,
Du moins rien qui leur coûte très cher.
Je le dis et ne crois médire ;
De ce reproche je me puis excuser :
Celui qui n'a pas commis de faute ne doit pas
[s'accuser.

XXV

Il est bien vrai que j'ai aimé
Et que j'aimerais encore volontiers ;
Mais triste cœur, ventre affamé
Qui n'est pas, pour un tiers, rassasié,
M'ôtent des amoureux sentiers.
Eh bien ! que quelqu'un s'en dédommage,
Et s'emplisse comme un tonneau,
Car de la panse vient la danse !

XXVI

Je sais bien que, si j'avais étudié
Au temps de ma jeunesse folle,
Et si je m'étais voué aux bonnes mœurs,
J'aurais maison et couche molle...
Mais quoi ! je fuyais l'école,
Comme fait le mauvais enfant.
En écrivant cette parole,
Peu s'en faut que mon cœur ne se brise.

Ballade des Dames du temps jadis[1]

Dites-moi où, n'en[a] quel pays
Est Flora la belle Romaine,
Archipïades ni Thaïs
Qui fut sa cousine germaine ;
Écho, parlant quand bruit on mène
Dessus rivière ou sur étang,
Qui beauté ot[b] trop plus qu'humaine ?
Mais où sont les neiges d'antan ?

Où est la très sage Héloïs,
Pour qui fut châtré et puis moine
Pierre Esbaillart à Saint-Denis ?
Pour son amour ot cette essoine[c].
Semblablement, où est la roine
Qui commanda que Buridan
Fût jeté en un sac en Seine ?
Mais où sont les neiges d'antan ?

La roine Blanche comme un lis
Qui chantait à voix de seraine[d],
Berthe au plat pied, Bietrix, Aliz,
Haramburgis qui tint le Maine,
Et Jeanne, la bonne Lorraine
Qu'Anglais brûlèrent à Rouen ;
Où sont-ils[e], où, Vierge souvraine ?
Mais où sont les neiges d'antan ?

Prince, n'enquerrez de semaine
Où elles sont, ni de cet an,

1. C'est Clément Marot, dans l'édition qu'il a donnée des œuvres de François Villon en 1533, qui a inventé les titres des ballades insérées dans *Le Testament*, dont celle-ci.

Qu'à ce refrain ne vous remaine[f] :
Mais où sont les neiges d'antan ?

a n' : et. - *b* ot : eut. - *c* épreuve, peine. - *d* seraine : sirène. - *e* ils : elles. - *f* vous ne saurez demander de toute cette semaine, où elles sont, ni de toute cette année, sans que je vous ramène à ce refrain.

Qui sont ces dames du temps jadis ? François Villon les évoque en descendant le temps au fil des strophes, de l'Antiquité et de la mythologie jusqu'à son époque.
Flora, Archipïades, Thaïs sont, pour le Moyen Age, des courtisanes célèbres de l'Antiquité, grecque et romaine. (Archipïades est en fait la transformation du nom d'Alcibiade, pris pour celui d'une femme par certains commentateurs et traducteurs de Boèce, dont Jean de Meun.)
Écho est la nymphe de la mythologie qui aima, sans retour, le beau Narcisse. Guillaume de Lorris a raconté son histoire dans *Le Roman de la Rose.*
Héloïse est l'amante puis la femme du philosophe Pierre Abélard qui se retira à Saint-Denis en 1118. Jean de Meun a évoqué l'histoire des deux amants dans *Le Roman de la Rose.*
La reine qui commanda que Buridan fût jeté en un sac en Seine : une légende a couru parmi les étudiants des années 1460-1480. Une reine du temps du philosophe Jean Buridan (env. 1300-1372) prenait pour amants des étudiants de l'Université de Paris, dont elle se débarrassait ensuite en les faisant jeter des fenêtres de son palais dans la Seine. La légende fait état des belles-filles de Philippe le Bel. Buridan aurait échappé à ce sort en faisant amener sous les fenêtres du palais un vaisseau chargé de foin.
La reine Blanche : il ne semble pas qu'il s'agisse de Blanche de Castille, mère de Saint Louis, comme on l'a cru, qui n'est pas particulièrement connue pour sa belle voix. *Blanche* n'est pas d'ailleurs forcément un prénom dans cette strophe mais peut-être un simple adjectif.
Berthe au plat pied, Bietrix, Aliz sont des héroïnes de légendes épiques.
Haramburgis, forme latine du nom d'Erembourg, comtesse

d'Anjou et du Maine, morte en 1126 et qui apparaît sans doute ici pour la musicalité de son nom.
Jeanne, la bonne Lorraine : Jeanne d'Arc.

Cette ballade, très célèbre, est une admirable modulation sur le thème d'origine biblique *« Ubi sunt »*, « Où sont... ? » Ce thème qui sert, au Moyen Age, à une réflexion morale sur les vanités du monde est infléchi par Villon dans le sens d'une évocation mélancolique. La poésie de la ballade se cristallise dans le refrain qui dit métaphoriquement la beauté, la fragilité de la femme et la fuite inexorable du temps. Cette ballade est dans toutes les mémoires, grâce en particulier à sa mise en musique par Georges Brassens.

Ballade pour prier Notre Dame

Dame du ciel, régente terrienne,
Impératrice des marais infernaux,
Recevez-moi, votre humble chrétienne,
Si bien que je sois au nombre de vos élus,
Nonobstant le fait que je n'ai jamais rien valu.
Les biens qui viennent de vous, ma Dame et ma
[Maîtresse,
Sont beaucoup plus grands que mes péchés,
Sans ces biens, aucune âme ne peut mériter
Ni posséder les cieux. Je ne mens pas là-dessus :
En cette foi je veux vivre et mourir.

Dites à votre fils que je suis sienne ;
Puisse-t-il absoudre mes péchés ;
Qu'il me pardonne comme à l'Égyptienne[1]

1. Voir, p. 95, la note de *Chanson à la Vierge* de Gautier de Coinci.

Ou comme il fit au clerc Théophile[1],
Qui par vous fut acquitté et absous
Bien qu'il eût au diable fait promesse.
Gardez-moi d'agir jamais ainsi,
Vierge qui avez porté, sans perdre votre virginité,
Le sacrement qu'on célèbre à la messe :
En cette foi je veux vivre et mourir.

Femme je suis, pauvrette et ancienne,
Qui ne sais rien ; jamais je n'ai su lire.
Je vois à l'église, dont je suis paroissienne,
Un paradis peint où sont harpes et luths,
Et un enfer où damnés sont bouillis :
L'un me fait peur, l'autre joie et liesse.
Fais-moi avoir la joie, haute déesse,
A laquelle les pécheurs doivent tous recourir,
Comblés de foi, sans feinte ni paresse :
En cette foi je veux vivre et mourir.

Vous portâtes, digne Vierge, princesse,
Iésus régnant qui n'a ni fin ni terme.
Le Tout-Puissant, revêtant notre faiblesse,
Laissa les cieux et nous vint secourir,
Offrit à la mort sa très claire jeunesse ;
Notre Seigneur est tel, et tel je le proclame[2] :
En cette foi je veux vivre et mourir.

1. Héros du *Miracle de Théophile* de Rutebeuf et de nombreux autres récits. Pour reconquérir les honneurs et la richesse, il signe un pacte avec le diable, et s'en repent amèrement : il prie la Vierge Marie, qui intercède pour lui auprès de Dieu, et va en personne récupérer sa « charte » entre les mains du diable.

2. Les lettres initiales des six premiers vers de l'envoi composent l'acrostiche de « VILLON ».

François Villon place cette ballade dans la bouche de sa mère mais la signe en acrostiche de son nom et la prière vaut aussi pour le poète.
On notera le parallélisme entre la figure, humble, de la mère et son double, souverain, dans les cieux : la Vierge. Cette mère, cela n'a rien d'étonnant, ne sait pas lire et s'instruit en regardant les peintures qui se trouvent dans son église. D'où la simplicité frappante de sa vision qui oppose le paradis où les anges jouent de doux instruments de musique et l'enfer où périssent dans les chaudières les damnés. Ces peintures fonctionnent comme « Bible des pauvres ».

Ballade de la grosse Margot

Si j'aime et si je sers la belle de bon cœur,
Devez-vous pour autant me considérer comme vil et
[sot ?
Elle a en elle autant de biens qu'on peut le souhaiter.
Pour son amour je ceins bouclier et dague ;
Quand viennent des gens, je cours et attrape un pot,
Je vais au vin, sans faire de bruit ;
Je leur tends eau, fromage, pain et fruit.
S'ils paient bien, je leur dis : « bene stat[1] ;
Revenez ici, quand vous serez en rut,
Dans ce bordel où nous sommes établis. »

Mais il y a grand déplaisir
Quand sans argent s'en vient coucher Margot ;
Je ne peux la voir, mon cœur la hait à mort.
Je saisis ses habits, ceinture et surcot[2],

1. « Cela est bien. »
2. Vêtement de dessus qui se composait d'une sorte de gilet sans manches, auquel était attachée une ample jupe.

Et je lui jure que ça tiendra lieu d'écot.
Par les flancs se prend cet Antéchrist,
Crie et jure par la mort de Jésus-Christ
Que ça ne se passera pas comme ça. Alors j'empoigne
[un éclat de bois,
Sur son nez je lui fais une inscription,
Dans ce bordel où nous sommes établis.

Puis on fait la paix et elle fait un gros pet
Plus enflé qu'un bousier immonde[1].
En riant, elle me donne un coup de poing sur la tête,
Me dit « Go ! go ! », et me frappe la cuisse.
Tous deux ivres, nous dormons comme un sabot[2].
Et au réveil, quand son ventre fait du bruit,
Elle monte sur moi pour que je n'abîme pas son fruit.
Sous elle je geins, elle m'aplatit plus qu'une planche,
A paillarder elle me démolit complètement,
Dans ce bordel où nous sommes établis.

Vente, grêle, gèle, j'ai mon pain cuit.
Je suis paillard, la paillarde me suit.
Lequel vaut mieux ? Nous sommes bien assortis.
L'un vaut l'autre ; c'est à mauvais rat mauvais chat.
Ordure aimons, l'ordure nous poursuit ;
Nous fuyons honneur, honneur nous fuit[3],
Dans ce bordel où nous sommes établis.

La poésie de François Villon est faite de tensions, de contradictions dont « le rire en pleurs » du poète (voir

1. Le bousier (*escarbot*, en ancien français) est un coléoptère qui vit dans les bouses et se gorge d'excréments.
2. Le *sabot* est une sorte de toupie. « Le sabot dort, nous apprend Littré, se dit quand il tourne si vite, restant sur un même point, qu'il paraît immobile. » D'où, familièrement, « dormir comme un sabot, dormir profondément ».
3. On trouve à nouveau un acrostiche dans l'envoi.

« Ballade du concours de Blois ») pourrait être l'emblème. On passe ainsi de l'amant martyr au souteneur de la grosse Margot. Mais plus que d'une confession, il s'agit là sans doute d'un divertissement anti-courtois dans la tradition de la « sotte chanson ». On comprend ainsi le parti pris affiché de grossièreté. Poésie du bas corporel qu'on peut suivre aussi chez Rabelais.

POÈMES VARIÉS

Ballade du concours de Blois[1]

Je meurs de soif auprès de la fontaine,
Chaud comme le feu, je claque des dents ;
Dans mon pays, je suis en terre lointaine,
A côté d'un brasier, je frissonne tout ardent ;
Nu comme un ver, vêtu en président,
Je ris en pleurs et attends sans espoir ;
Je reprends réconfort dans le triste désespoir,
Je me réjouis et n'ai aucun plaisir ;
Je suis puissant, sans force et sans pouvoir,
Bien accueilli, repoussé par chacun.

Rien ne m'est sûr que la chose incertaine,
Obscur, hormis ce qui est tout à fait évident,
Je n'ai des doutes que des choses assurées,

1. Ce titre a été donné par l'un des éditeurs de Villon : Auguste Longnon, dans son édition de 1892.

Je tiens la science pour accident fortuit,
Je gagne tout et demeure perdant ;
Le matin, je dis : « Dieu vous donne le bonsoir »,
Couché sur le dos, j'ai grand peur de tomber ;
J'ai bien de quoi et pourtant je n'ai pas le sou,
J'attends un legs et je ne suis l'héritier de personne,
Bien accueilli, repoussé par chacun.

Je ne me soucie de rien et je mets toute ma peine
A acquérir des biens auxquels je ne prétends pas,
Celui qui me parle avec le plus de bienveillance est
[celui qui me vexe le plus,
Et celui qui me parle avec le plus de vérité, celui qui
[me raconte le plus de sornettes ;
Mon ami est celui qui me fait croire
Qu'un cygne blanc est un corbeau noir ;
Celui qui me nuit, je crois qu'il m'aide à me pourvoir ;
Mensonge, vérité, aujourd'hui, c'est pour moi tout un,
Je retiens tout mais ne sais rien concevoir,
Bien accueilli, repoussé par chacun.

Prince clément[1], qu'il vous plaise savoir
Que je comprends bien et pourtant n'ai ni sens ni
[savoir ;
Je suis à part, favorable à tous usages.
Que sais-je de plus ! Quoi ! les gages ravoir,
Bien accueilli, repoussé par chacun.

1. Il s'agit de Charles d'Orléans qui avait organisé cette joute poétique en en donnant le thème : « Je meurs de soif auprès de la fontaine ». Voir ici même, p. 152.

Cœur secouru par Espérance.
(Le Cœur d'Amours espris.)

Le Débat du cœur et du corps de Villon[1]

Qu'est-ce que j'entends ? — C'est moi. — Qui ? —
Qui ne tient plus qu'à un fil : [Ton cœur
Je n'ai plus de force, de substance ni de liqueur,
Quand je te vois retiré ainsi tout seul
Comme un pauvre chien tapi dans un coin.
— Pour quelle raison ? — Pour ta folle fantaisie.
— Que t'en chaut ? — J'en ai déplaisir.
— Laisse-moi en paix. — Pourquoi ? — J'y penserai.
— Quand ? — Quand je serai sorti d'enfance.
— Je ne t'en dis pas plus. — Et je m'en passerai.

— Que penses-tu ? — Être homme de valeur.
— Tu as trente ans. — C'est l'âge d'un mulet[2].
— Est-ce enfance ? — Non. — C'est donc folie
Qui s'empare de toi ? — Par où ? Par le collet ?
— Tu ne reconnais rien. — Si. — Quoi ? — Mouche
[en lait ;
L'un est blanc, l'autre est noire, c'est la différence.
— Est-ce donc tout ? — Que veux-tu que je discute ?
Si ce n'est pas assez, je recommencerai.
— Tu es perdu ! — J'y mettrai de la résistance.
— Je ne t'en dis pas plus. — Et je m'en passerai.

— Cela me fait deuil ; à toi, mal et douleur.
Si tu étais un pauvre ignorant, un fou,
Tu aurais encore un prétexte pour t'excuser :
Mais tu ne t'en soucies, tout t'est égal, bien ou mal.

1. Ce titre qui apparaît pour la première fois dans l'impression de Pierre Levet de 1489 ne correspond pas exactement au contenu de la ballade. Le cœur de Villon s'adresse en fait à tout son être.

2. Le mulet est un animal que caractérisent à la fois la ruse et l'obstination. Entêté, il refuse d'obéir, comme Villon rejette tous les conseils que lui prodigue son cœur.

Ou tu as la tête plus dure qu'un galet,
Ou cette déchéance te plaît mieux qu'honneur !
Que répondras-tu à cette argumentation ?
— J'en sortirai quand je trépasserai.
— Dieu, quel réconfort ! — Quelle sage éloquence !
— Je ne t'en dis pas plus. — Et je m'en passerai.

— D'où vient ce mal ? — Il vient de ma malchance.
Quand Saturne me fit mon paquet,
Il y mit ses conditions, je crois. — C'est folie :
Tu es son seigneur, et te considères comme son valet.
Vois ce que Salomon écrit en son livre :
« Homme sage, dit-il, a pouvoir
Sur les planètes et sur leur influence. »
— Je n'en crois rien : tel qu'elles m'ont fait je serai.
— Que dis-tu ? — Oui, certes, c'est ce que je crois.
— Je ne t'en dis pas plus. — Et je m'en passerai.

— Veux-tu vivre ? — Dieu m'en donne les moyens !
— Il faut... — Quoi ? — Remords de conscience,
Lire[1] sans fin. — En quoi ? — En science de sagesse,
Laisser les fous ! — Je m'en aviserai.
— Or retiens-le ! — J'en garde bien le souvenir.
— N'attends pas que cela tourne mal.
Je ne t'en dis pas plus. — Et je m'en passerai.

Cette ballade en dialogue se fonde sur une série d'oppositions : trente ans s'oppose à enfance, raison à folie, la sagesse écrite (Salomon et son livre) à l'expérience personnelle.
Vérifiant l'importance de l'astrologie dans la pensée médiévale, nous voyons Villon, comme après lui Verlaine, se placer « sous le signe de Saturne », planète de la mélancolie, de la pauvreté, de la prison.

1. Lire a le sens d'« étudier ». Nous avons gardé cette forme, ainsi que le « or » initial, deux vers plus bas, parce que le « l » et le « o » font partie de l'acrostiche de Villon.

Épître à mes amis

Ayez pitié, ayez pitié de moi,
A tout le moins, s'il vous plaît, mes amis !
Je couche en basse-fosse, non pas sous un dais de
[houx ou sous un mai[1],
Dans cet exil où j'ai été banni
Par Fortune, comme Dieu l'a permis.
Filles qui aimez les jeunes gens fringants,
Danseurs, sauteurs, faisant des cabrioles[2],
Vifs comme dards, aigus comme aiguillons,
Dont les gosiers tintent clair comme des grelots,
Le laisserez-vous là, le pauvre Villon ?

Chanteurs qui chantez pour le plaisir, sans loi,
Noceurs, rieurs, plaisants en faits et en dits,
Vagabonds qui allez sans or faux, ou vrai,
Gens d'esprit, un petit peu étourdis,
Vous tardez trop, car il meurt entre-temps.
Faiseurs de lais, de motets, de rondeaux,
Quand il sera mort, vous lui ferez des bouillons
[chauds !
Là où il gît, n'entre ni éclair ni tourbillon :
De murs épais on lui a fait des liens.
Le laisserez-vous là, le pauvre Villon ?

Venez le voir en ce triste équipage,

1. Le « mai » est la décoration de branchages et de feuilles fraîches que l'on rassemble pour fêter le premier mai.
2. L'expression en ancien français est « faire les pieds de veau ».

Hommes nobles, qui ne payez ni le quart ni la dîme[1],
Qui n'êtes pas soumis à empereur ou à roi,
Mais seulement à Dieu de paradis ;
Il lui faut jeûner les dimanches et les mardis[2],
Ce qui lui fait les dents plus longues que des râteaux ;
Sur du pain sec, non pas sur des gâteaux,
Il verse de l'eau à gros bouillons dans ses boyaux ;
Assis par terre, il n'a table ni tréteaux.
Le laisserez-vous là, le pauvre Villon ?

Princes déjà nommés, anciens, jouvenceaux,
Obtenez-moi grâces et sceaux royaux,
Et hissez-moi dans quelque corbeille.
C'est ce que se font l'un à l'autre les pourceaux,
Car, quand l'un crie, ils accourent en masse.
Le laisserez-vous là, le pauvre Villon ?

Cette pièce retrace l'expérience de la prison qu'a connue François Villon à Meung-sur-Loire en 1461. Le poète avait été incarcéré sur l'ordre de l'évêque Thibaud d'Aussigny.
La force des images, la puissance des contrastes entre le monde sombre de la prison et celui, vif et lumineux, de cette bohème joyeuse dont le poète est, pour l'instant, banni, font de cette ballade une pièce à la fois angoissée et confiante où se mêlent humour et lamentations. Les amis du poète, ces vagabonds, ces saltimbanques, ne sont-ils pas nommés, par antiphrase : « hommes nobles » et « princes ».
Le thème central est celui de l'intercession, de la fraternité (même les animaux s'entraident, dit la violente image finale des pourceaux). Le thème de l'intercession apparaît ici sous sa forme profane. Il réapparaît sous sa forme religieuse dans « L'épitaphe Villon ».

1. Le quart et la dîme désignent des impôts.
2. C'est-à-dire les jours gras.

L'épitaphe Villon

Frères humains qui après nous vivez,
N'ayez les cœurs contre nous endurcis,
Car, si pitié de nous, pauvres, avez,
Dieu en aura plus tôt de vous merci.
Vous nous voyez ici attachés, cinq ou six :
Quant à la chair, que trop avons nourrie,
Elle est depuis longtemps dévorée et pourrie,
Et nous, les os, devenons cendre et poudre.
De notre mal, que personne ne rie ;
Mais priez Dieu que tous nous veuille absoudre !

Si frères vous clamons, pas n'en devez
Avoir dédain, quoique fûmes occis
Par justice. Toutefois, vous savez
Que tous les hommes n'ont pas raison bien ferme.
Excusez-nous, puisque sommes transis[1],
Auprès du fils de la Vierge Marie,
Que sa grâce ne soit pour nous tarie,
Nous préservant de l'infernale foudre.
Nous sommes morts, que personne ne nous tourmente,
Mais priez Dieu que tous nous veuille absoudre !

La pluie nous a lessivés et lavés,
Et le soleil desséchés et noircis ;
Pies, corbeaux nous ont les yeux creusés,
Et arraché la barbe et les sourcils.
Jamais nul temps nous ne sommes assis ;
Puis çà, puis là, comme le vent varie,
A son gré sans cesse nous charrie,

1. « Trépassés » ; le « transi » désigne la représentation du mort sur les côtés des tombeaux, non pas en majesté comme le gisant, mais en proie à la corruption de la chair.

Plus becquetés d'oiseaux que dés à coudre.
Ne soyez donc de notre confrérie ;
Mais priez Dieu que tous nous veuille absoudre !

Prince Jésus, qui sur tous as maîtrise,
Garde qu'Enfer n'ait sur nous seigneurie :
Avec lui n'ayons rien à faire ni à débattre.
Hommes, ici il n'y a pas lieu de se moquer ;
Mais priez Dieu que tous nous veuille absoudre !

Devinettes

Demande

Blanc est le champ, et noire est la semence :
L'homme qui la sème est d'une grande science.

Réponse

On le dit du papier et de l'encre et de celui qui écrit.

Demande

J'en ai et vous en avez,
De même en ont les bois et les prés,
Les eaux et les mers,
Les poissons, les bêtes et les blés,
Et toutes les autres choses du monde
Tant qu'il tourne à la ronde.

Réponse

C'est ce que nous appelons « ombre ».

Demande

Je suis de la terre burelure :
Plus il pleut, plus elle est dure,
Plus il fait chaud, et plus elle est molle,
Plus il vente, et plus elle s'envole.

Réponse

On le dit de la terre appelée « sable ».

Demande

Prenez sans *s* le troisième mois,
Et le nom de Dieu en anglais,
Et là trouverez sans délai
Le nom de mon loyal amour.

Réponse

Ma très belle amie s'appelle *Margot.*

Demande

Devinez ce que c'est :
— « Il y a deux hommes qui ont deux fils. »
— « Cela fait quatre à ce que je crois. »
— « Et pourtant ils ne sont que trois. »

Réponse

C'est le grand-père, qui a un fils, et ce fils un petit-fils.

Jean Molinet

Recueil des événements prodigieux

LXX

J'ai vu grande multitude
De livres imprimés
Pour tirer en étude
Pauvres mal argentés[1] ;
Par ces nouvelles modes
Auront maints écoliers
Décrets, bibles et codes,
Sans grand argent bailler.

LXXIII

J'ai vu Tournai tournée
En un mauvais tournant,
Sans être retournée
Ses voisins bestournant[2],
Nos maisons, nos tourelles
En cendre contourner[3]
Et Flamands entour elles
Durement attourner[4].

1. Désargentés.
2. Renversant.
3. Transformer.
4. Arranger, mettre à mal.

LXXXIII

J'ai vu, chose inconnue,
Un mort ressusciter
Et sur sa revenue
Par milliers acheter ;
L'un dit : « Il est en vie » ;
L'autre : « Ce n'est que vent. »
Tous bons cœurs sans envie
Le regrettent souvent.

LXXXVII

J'ai vu clerc de village
Manger un gros raton[1],
Une poule volage[2],
Un quartier de mouton,
Du pain plein une manche[3]
Bouter en ses boyaux,
Ne sais comment la panse
Ne lui rompt en morceaux.

CXLVI

J'ai vu, ce qui me semble
Un monstre fort nouveau,
Femmes tenant ensemble
Par un même cerveau,
Qui deux corps et deux âmes
Et deux volontés ont ;
Non de lointains royaumes,
Mais d'Allemagne sont.

1. En picard, une grosse crêpe. Jean Molinet joue sur le double sens.
2. Littéralement, une poule ailée. L'expression tend à remplacer le mot *geline*.
3. Un panier d'osier.

LXX. Les débuts de l'imprimerie à Paris datent de 1470.
LXXIII. Allusion à la déconfiture des Flamands conduits devant Tournai par Adolphe de Gueldre.
LXXXIII. On crut longtemps que Charles le Téméraire, disparu au siège de Nancy en 1477, n'était pas mort et qu'il allait revenir.
Jean Molinet note dans ses *Chroniques* : « Les marchands en vendirent les uns aux autres pour plus de dix mille écus de denrées, à payer à sa revenue en pays. »
CXLVI. Jean Molinet enregistre également ce prodige dans ses *Chroniques*.

Octavien de Saint-Gelays

Le séjour d'honneur

... J'ai maintenant conscience d'avoir perdu mon
[temps à mes débuts :
Retourner sur mes pas m'est impossible.
De jeune, vieux, de joyeux, éperdu,
De beau, très laid et de joyeux, taciturne,
Voilà ce que je suis devenu. Rien ne m'était impossible
Jadis, hélas ! c'est ce qu'il me semblait :
C'était Abus qui par ses ruses m'enlevait
Le peu que j'avais alors de connaissance,
Quand je vivais dans les plaisirs mondains.

Des dames alors j'étais bien accueilli,
Entretenant mes douces amourettes :
Amour m'avait accepté pour serviteur,
Et je portais bouquets de boutons et de fleurettes.
Mais maintenant que je porte lunettes,
Je ne serai plus le compagnon de Cupidon :
De sa maison je suis chassé et banni ;
Je ne ferai plus ni rondeaux ni ballades :
Cela n'est pas un bon remède pour les malades.

Ah ! Je fus jeune : si seulement je l'étais encore !
J'ai désormais passé la fleur de ma jeunesse ;
Espoir ne sera plus garant de mon corps
Pour être tel que je fus autrefois.
J'avais coutume de chanter et de rimer souvent :
Désormais je dois, au lieu de cela,
Tousser, cracher : ce sont les fleurs et les roses
De vieillesse, et ses jeux beaux et nobles
Pour faire la fête entre nous, bonnes gens.

Guillaume Crétin

Déploration sur le trépas de feu Okergan, trésorier de Saint-Martin-de-Tours

Rondeau

C'est Okergan qu'on doit pleurer et plaindre,
C'est lui qui bien sut choisir[1] *et attaindre*
Tous les secrets de la subtilité
Du nouveau chant par sa subtilité,
Sans un seul point de ses règles enfreindre ;
Trente-six voix noter, écrire et plaindre[2]
En un motet ; est-ce pas pour complaindre
Celui trouvant telle novalité[3] ?
C'est Okergan.

Musiciens se doivent hui[4] contraindre,
Et en grands pleurs leur cœur baigner et teindre[5],
En le voyant ainsi mort alité,
Disant : « Son nom par immortalité
A toujours doit demeurer sans éteindre ;
C'est Okergan. »

1. Apercevoir
2. Faire se plaindre.
3. Nouveauté.
4. Aujourd'hui.
5. Faire changer de couleur.

Jean Ockeghem, compositeur renommé, naquit vers 1430. Il fut « maître de la chapelle de chant du roi » sous Charles VII, Louis XI et Charles VIII. Sa mort, en 1496, fut déplorée par les poètes — Jean Molinet et Guillaume Crétin, ainsi qu'en témoigne ce rondeau — et par les musiciens : Compère, Lupi, Josquin des Prés.

Jean Lemaire de Belges

Les Épîtres de l'Amant vert

Le perroquet de Marguerite d'Autriche s'adresse à sa maîtresse, qu'il aime, et qui l'a laissé seul.

N'as-tu point vu, ô dame spécieuse[1] *!*
Que quand ta bouche amie et gracieuse
A dit adieu à moi, pauvre éperdu,
Un tout seul mot[2] *je ne t'ai répondu ?*
Aussi, comment eût-il été possible
Que je parlasse en ce deuil indicible ?
Mais seulement tout morne, triste et sombre,
Comme déjà sentant mortel encombre[3]*,*
Ta noble main doucement ai baisée,
Congé prenant de ta hauteur prisée[4]*.*
Et maintenant à la mort me prépare,
Puisque je vois l'heure qui nous sépare.
Hélas ! comment me pourrai-je donner
La mort à coup[5]*, sans guère séjourner ?*
Je n'ai poison, je n'ai dague n'épée[6]

1. Belle.
2. Pas un seul mot.
3. Tourment.
4. Aimée, admirée.
5. Tout de suite.
6. Ni épée.

Dont être pût ma poitrine frappée.
Mais quoi ? Cela ne m'en doit retarder :
Qui mourir veut, nul ne l'en peut garder.
[...]

J'ai jà[1] *trouvé, sans aller loin dix pas,*
Le seul moyen de mon hâtif trépas.
Je vois un chien, je vois un vieil mâtin,
Qui ne mangea depuis hier au matin,
A qui on peut nombrer[2] *toutes les côtes,*
Tant est haï des bouchers et des hôtes.
Il a grand faim, et jà ses dents aiguise
Pour m'engloutir et manger à sa guise.
Il me souhaite et désire pour proie,
Par quoi à lui je me donne et octroie.
Si[3] *serai dit un Actéon naïf*[4]*,*
Qui par ses chiens fut étranglé tout vif.
Attends un peu, vilaine créature,
Tu jouiras d'une noble pâture ;
Attends un peu que cette épître seule
J'aie achevée, ains[5] *me mettre en ta gueule ;*
Si saoûlerai ton gosier maigre et glout[6]*,*
Et tu donras[7] *à mon deuil pause et bout.*

(Première épître, v. 279 et suiv.)

1. Déjà.
2. Compter.
3. Ainsi.
4. Un authentique Actéon (chasseur qui fut transformé en cerf par Diane pour l'avoir surprise au bain : ses propres chiens le dévorèrent).
5. Avant de.
6. Vorace.
7. Donneras.

Jean Marot

Rébus

fleur flé
Ung grant de sa gueulle a
Vent trouvé
perflu dont c'est pris
dain flé
Car tout son venin bour
cheu mais
Est luy dont n'est a pris
A
éement il pr, avoit, is
De veraine
l'honneur d'une sa
ayant
L, Bonne, L toutes pris
trop
ta, Mais, nt pour ses faitz tils
faine
de, Fut, ux d'aller pescher.

Solution :
Un grand souffleur (sous-fleur) de sa gueule
a soufflé (sous-flé)

Vent superflu (sur-perflu) dont s'est trouvé surpris (sur-pris),
Car tout soudain (sous-dain) son venin boursouflé (sous-flé)
Est chu sur lui (sur-lui) ; dont n'est absout, mais (a-sous-mais) pris :
Assurément (sur-éement) il avait entrepris (« avait » entre « pr » et « is »)
Dessus l'honneur (sur-l'honneur) d'une, sa souveraine (sous-veraine),
Bonne entre cent[1], ayant sur toutes (sur-toutes) prix,
Mais entre tant (« mais » entre « ta » et « nt »), pour ses faits trop subtils (sur-tils)
Fut entre deux (« fut » entre « de » et « ux ») d'aller pêcher sous faine (sous-faine).

Ce rébus est fondé sur un jeu avec les relations spatiales. La lecture du poème doit tenir compte de la place des mots les uns par rapport aux autres et restituer au texte les désignations *sur*, *sous* et *entre*.

1. « Bonne » entre « L » et « L » = deux fois cinquante en chiffres romains.

Biographies

ADAM DE LA HALLE *(Arras, v. 1235-v. 1288)*

Les quelques renseignements dont nous disposons sur Adam de la Halle, aussi appelé Adam le Bossu, proviennent de son œuvre : principalement du *Jeu de la feuillée*, pièce théâtrale dans laquelle il se met en scène lui-même, ainsi que son père et de nombreux Arrageois de leurs voisins. Il est originaire d'Arras, en effet, et a dû naître aux alentours de 1235. Il affirme avoir interrompu ses études pour se marier, et après avoir goûté aux joies de ce nouvel état, il désire repartir à Paris pour achever ses études et passer « maistre ». Entré plus tard au service du comte d'Artois (on ignore dans quelles circonstances exactement), il l'accompagne en Italie, à la fois comme poète et comme musicien, et meurt là-bas, sans doute en 1288.

Il est à la fois écrivain et musicien, l'un des premiers compositeurs de musique profane du Moyen Age ; outre le *Jeu de la feuillée* et le *Jeu de Robin et Marion*, « pastourelle » présentée sous une forme dramatique, il laisse de nombreux poèmes : chansons, rondeaux, jeux-partis, et, bien sûr, ses *Congés*, qui reprennent la forme inventée par Jean Bodel.

ALAIN CHARTIER *(Bayeux, 1385-v. 1433 ?)*

Il semble avoir accompli toute sa carrière au service du dauphin, puis du roi Charles VII ; il a en particulier rempli plusieurs missions diplomatiques auprès de l'empereur et du pape, en Italie. La date précise de sa mort n'est pas certaine, mais on sait qu'il était mort en 1433.

Il a composé non seulement des textes poétiques d'inspiration courtoise « classique », en quelque sorte, mais aussi des textes politiques, inspirés par les circonstances, dont le plus important est le *Quadrilogue invectif.* Son œuvre la plus célèbre reste *La Belle Dame sans merci*, long poème à deux voix, qui remet en cause le code courtois et a connu d'emblée un succès considérable dans toute l'Europe.

BERNARD DE VENTADOUR *(v.1150-abbaye de Dalon, v. 1200)*

Maître incontesté du *trobar* (art de composer) *leu* (clair), il était, d'après sa *Vida*, de très basse extraction, fils d'un couple de serviteurs du château de Ventadour. Bénéficiant de la protection de son seigneur Ebles II, lui-même troubadour, il reçut cependant une excellente éducation. Il dut quitter Ventadour aux alentours de 1150, pour s'être épris, conformément à la règle courtoise, de l'épouse d'Ebles III. Il trouva une nouvelle protectrice en la personne d'Aliénor d'Aquitaine, dont il tomba aussi amoureux, et qu'il suivit peut-être en Angleterre. Il revint en terre occitane et fut accueilli à la cour de Raimond IV, comte de Toulouse. A la mort de celui-ci, en 1194, et comme beaucoup de troubadours, il se retira comme moine dans une abbaye cistercienne. On ignore la date exacte de sa mort.

La *canso* de l'Alouette est, musicalement et poétiquement, l'un des plus beaux poèmes de la lyrique occitane.

BERTRAND DE BORN *(v. 1140-abbaye de Dalon, v. 1215).*

Bertrand de Born ne correspond pas du tout à l'idée que l'on se fait traditionnellement d'un troubadour : sa spécialité d'ailleurs n'est pas la « canso » d'amour, mais le « sirventès » politique, dans lequel il attaque à peu près indifféremment les uns et les autres. Car son rêve est de semer la discorde partout où il passe. De très nombreuses « razos » (sortes de commentaires de textes biographiques) s'épuisent à exposer et à expliquer ses démêlés avec les grands seigneurs de l'époque. Possédant en commun avec l'un de ses frères le château de Hautefort, il finit par l'en chasser à force de querelles. Il prend parti pour le « Jeune Roi », fils d'Henri II Plantagenêt, dans la guerre qui l'oppose à son père (et lorsque par hasard la paix semble se dessiner, Bertrand appelle à la reprise du conflit sous un prétexte quelconque). Bien que dans l'ensemble ses prises de parti semblent guidées par la recherche de son intérêt personnel, il paraît avoir éprouvé une estime et un attachement sincères pour le « Jeune Roi », si l'on en juge par le « planh » qu'il compose à sa mort. Cet homme de guerre finit néanmoins sa vie comme moine dans une abbaye.

CHARLES D'ORLÉANS *(Paris, v. 1394-Amboise, 1465)*

Prince et poète, il nous est exceptionnellement bien connu grâce à de très nombreux documents juridiques et diplomatiques qui éclairent ses œuvres poétiques.

Fils du très brillant Louis d'Orléans, frère du roi Charles VI, et de Valentine Visconti, il reçoit une éducation raffinée qui favorise son talent poétique. Après l'assassinat de son père et la mort de sa mère, il est émancipé à l'âge de quatorze ans, en 1408. Dans les années qui suivent, il intrigue contre les Bourguignons responsables de la mort de son père, fait appel aux Anglais, se brouille et se réconcilie avec le roi ; en 1414, il se remarie (il est veuf d'Isabelle de France), et sa fortune semble meilleure. En 1415, il est fait prisonnier à la bataille d'Azincourt.

S'ensuivent vingt-six années d'une captivité d'abord très rude, puis adoucie à partir de 1432 lorsqu'il est confié au comte de Suffolk. Il cherche un dérivatif dans la piété et la méditation morale, intrigue vainement pour obtenir sa libération, et au milieu de tout cela n'oublie pas de composer des poèmes.

A son retour en France, il se trouve plus ou moins dans la dépendance de la Bourgogne, pour avoir entre autres épousé la très jeune Marie de Clèves. Dans un premier temps, il s'efforce de faire une carrière politique et s'emploie à instaurer une paix définitive entre France et Angleterre. Déçu dans ses espérances, n'ayant pas réussi non plus à faire valoir ses droits (par sa mère) sur le Milanais, il se retire dans son château de Blois et consacre les quinze dernières années de sa vie à son activité de poète et de mécène. La cour de Blois est une des plus brillantes de l'époque, et Charles d'Orléans rassemble autour de lui de nombreux poètes, avec qui il échange ballades et rondeaux. Il réemploie avec une habileté consommée les anciens motifs de la courtoisie, en leur ajoutant toute une galerie de figures à demi allégoriques, qui constituent un paysage littéraire véritablement unique.

CHATELAIN DE COUCY *(fin du XIIe s.)*

On identifie généralement ce personnage avec Gui de Coucy, qui a régné sur son fief de 1186 à 1203 ; il est issu d'une très grande famille du Nord de la France. Participant à la IIIe et à la IVe Croisade, il mourut en mer au cours de celle-ci, comme le rapporte Villehardouin dans sa *Conquête de Constantinople.* Son corps fut jeté à la mer, mais son cœur, selon la légende mise en roman par « Jakemes » dans le *Roman du châtelain de Coucy et de la dame du Fayel,* fut rapporté en France par un écuyer qui avait pour mission de le donner comme relique à la dame aimée du poète. Mais le mari de celle-ci, jaloux, aurait intercepté le cœur et l'aurait donné à manger à son épouse... L'art du Châtelain de Coucy (dont nous avons conservé plus d'une vingtaine de pièces, aussi bien chansons d'amour que chansons de croisade) est parfaitement représentatif de ce que l'on appelle le « grand chant courtois ».

CHRISTINE DE PIZAN *(Venise, v. 1365-v. 1431)*

Bien plus que Marie de France, sur laquelle nous ne savons rien, ou que les quelques « trobaïritz » dont nous ignorons presque tout, Christine de Pizan mérite sans doute le titre de premier écrivain femme de langue française.

Elle est la fille d'un Italien astrologue et secrétaire de Charles V. Elle reçoit une éducation très soignée de la part de son père, qui la marie en 1380 à Étienne Castel, notaire du roi.

Dix ans plus tard, elle se retrouve veuve à vingt-cinq ans, avec trois enfants à élever et sa mère à faire vivre (son père est mort trois ans auparavant). Pour redresser la situation financière très compromise de sa famille, elle n'envisage pas de se remarier, mais, comme elle le raconte dans la *Mutacion de Fortune*, elle « devient homme » et entreprend de gagner sa vie en écrivant. Elle compose aussi bien des traités et des ouvrages de politique ou de philosophie, en général situés dans un cadre allégorique, que des recueils poétiques, répondant aux goûts de la cour de France. Très prolifique pendant de longues années, elle se retire dans un couvent à la fin de sa vie, et ne sort de sa retraite que pour produire un remarquable *Ditié de Jeanne d'Arc*. Elle meurt, semble-t-il, en 1431.

Ses œuvres, nombreuses et variées, témoignent d'un grand talent pour renouveler des thèmes et motifs très employés. Elle pratique avec habileté, par exemple dans les *Cent Ballades d'amant et de dame*, l'art de construire une sorte de « roman par poèmes », en exposant au fil des ballades attribuées à ses personnages les étapes variées de la relation amoureuse, depuis le refus catégorique de l'amour par une « belle dame sans mercy », jusqu'à la mort de cette même dame, finalement trompée par les belles paroles d'un amant infidèle. Le plaidoyer « féministe » que l'on peut lire entre les lignes dans cette œuvre est encore plus sensible dans certains textes en prose, comme *La Cité des Dames*, ou plus simplement dans certaines *Ballades* dans lesquelles Christine revendique le droit d'écrire autre chose que son expérience personnelle. Mais son inspiration est parfois plus légère, par exemple dans le cas des « Jeux à vendre », dont elle a composé plus de soixante-dix exemples.

COLIN MUSET *(v. 1230- ?)*

A l'opposé des trouvères grands seigneurs, comme Conon de Béthune ou Thibaut de Champagne, Colin Muset (aux alentours de 1230) représente le ménestrel de profession, sur la vie duquel nous ne sommes renseignés — et très mal, bien sûr, en admettant même que ses « confidences » se réfèrent à une quelconque expérience personnelle — que par ses textes. Chantre des plaisirs de la vie de tous les jours, il se plaint du manque de générosité de ses protecteurs et de l'accueil variable que lui réserve son épouse. Prenant toujours ses distances par rapport à la thématique courtoise, et ayant peu pratiqué le « grand chant », il est sans doute le plus original des trouvères.

COMTESSE DE DIE

On ne sait à peu près rien de cette « trobaïritz » ; l'époque même à laquelle elle vécut est incertaine : il s'agit en gros de la seconde moitié du XIIe siècle. La tradition s'obstine à la baptiser Béatrice, sans que rien permette de garantir la justesse de cette appellation. Il nous reste d'elle cinq pièces seulement, dont deux fragmentaires. Ses « cansos » semblent inspirées par un amour malheureux pour Raimbaut d'Orange ; mais il n'est pas certain qu'il s'agisse du troubadour plutôt que de son neveu, qui portait le même nom.

CONON DE BÉTHUNE *(milieu du XIIe s.-v. 1220)*

Sans doute issu d'une grande famille du Nord de la France, il est chevalier et joue un rôle important dans la IIIe, et surtout dans la IVe Croisade ; après la prise de Constantinople, il devient sénéchal puis, en 1219, régent du nouvel empire franc. Il meurt à peu près à cette époque. Il doit, semble-t-il, sa formation poétique à un autre trouvère, Huon d'Oisi, auteur aussi de « dits » allégoriques. Ses chansons d'amour (nous en avons conservé sept) sont originales par leur vivacité, voire leur agressivité à l'égard de la dame. Il a l'étoffe d'un polémiste.

Il est l'auteur également de deux chansons de croisade et d'un débat entre un chevalier et une dame. Jeune, la dame s'était refusée à l'amour du chevalier ; vieille, elle est prête à céder, mais trop tard.

Sully, le ministre d'Henri IV, se flattait de compter Conon de Béthune parmi ses ancêtres.

CRÉTIN, Guillaume *(v. 1460-1525)*

Né peut-être à Paris, Guillaume Crétin fit une carrière ecclésiastique : chanoine à Évreux, trésorier de la chapelle de Vincennes (vers 1505), chapelain de la Sainte-Chapelle de Paris, il devient aumônier du roi en 1514, enfin chantre de la Sainte-Chapelle en 1523. Protégé de François Ier, ami de tout ce que l'époque compte de poètes (de Molinet à Lemaire, dont il fut l'un des maîtres, en passant par Jean et Clément Marot) et de musiciens (Ockeghem), Guillaume Crétin produisit une œuvre poétique célébrée pour son abondance, sa variété, et l'extraordinaire virtuosité de ses rimes.

EUSTACHE DESCHAMPS *(Vertus en Champagne, 1346-1406)*

Il appartient à la génération qui suit celle de Guillaume de Machaut, et il se pose en successeur et héritier de celui-ci (au point, dit-on, d'offrir son « service d'amour » à la dame chantée par son prédécesseur...). On peut considérer qu'il en complète l'œuvre codificatrice et organisatrice en écrivant *L'Art de dictier*, c'est-à-dire un texte de théorie littéraire passant en revue tous les problèmes de la poétique en langue vulgaire de son époque. Fonctionnaire royal, il a la charge de bailli de Senlis. Un grand nombre de ses pièces — c'est un poète très prolifique — se rapporte à des événements contemporains, ou semble faire allusion à des épisodes de sa vie personnelle. Il s'y décrit en tout cas comme un bon vivant, plus soucieux de profiter de l'existence que de se conformer aux exigences de la courtoisie qui commencent à passer de mode. Sa forme de prédilection est la ballade, bien qu'il ait pratiqué aussi avec succès le rondeau et le virelai.

GACE BRULÉ *(v. 1160-v. 1210)*

Il appartient à la première génération de trouvères, celle qui a acclimaté les grands motifs de la lyrique occitane à la poésie en langue d'oïl. Il semble qu'il ait appartenu à une famille noble, vassale des comtes de Champagne : il a compté parmi ses protecteurs Marie de Champagne, l'une des filles d'Aliénor d'Aquitaine. Dès le XIIIe siècle, il a acquis une célébrité considérable : en témoignent le nombre de ses œuvres conservées, et les fréquentes citations qu'en font les romans qui pratiquent l'« insertion lyrique ». Dante cite une de ses chansons avec éloge, mais en l'attribuant à Thibaut de Champagne.

GAUTIER DE COINCI *(Coinci, 1177-Soissons, 1236)*

Nous sommes relativement mieux renseignés sur la vie de ce personnage, que sur celle de la plupart des écrivains contemporains : non seulement, en effet, Gautier lui-même nous donne quelques indications sur son statut et ses relations dans les différents prologues de ses *Miracles de Nostre Dame*, mais encore les documents ecclésiastiques de l'époque nous permettent de nous faire une idée de sa carrière. Issu d'une famille noble du Soissonnais, successivement prieur de Vic-sur-Aisne et grand prieur de Saint-Médard de Soissons, il a mis tout son talent poétique au service de la louange à la Vierge. Le recueil de *Miracles* cité plus haut comprend un certain nombre de chansons qui reprennent, en les orientant vers l'amour divin, les motifs de la « fin'amor » et qui se caractérisent surtout par leur exceptionnelle virtuosité formelle.

GUILLAUME IX *(1071-1127)*

Les renseignements dont nous disposons à propos de Guillaume IX d'Aquitaine, comte de Poitiers, proviennent plutôt des chroniqueurs latins (Orderic Vital ou Guillaume de Malmesbury) que de sa *Vida*, composée au XIIIe siècle par un compilateur anonyme : celle-ci le considère essentiellement comme « uns dels majors trichadors de dompnas », c'est-à-dire « un des plus grands trompeurs de femmes » du monde. Il fut aussi un des plus grands seigneurs de son époque, et mena une vie pour le moins agitée : il passa son temps à faire la guerre contre ses voisins (il s'empara deux fois du comté de Toulouse), fut pendant des années sous le coup d'une sentence d'excommunication pour avoir pris comme concubine la femme d'un de ses vassaux, « la Maubergeonne », partit en croisade sans conviction et en revint sans succès, et à côté de tout cela écrivit les premiers poèmes de la lyrique occitane. Les quelques textes qui nous sont restés de lui participent de deux inspirations apparemment opposées : quelques « cansos » constituent l'expression la plus pure et la plus raffinée des concepts naissants de la « fin'amor », d'autres sont d'une rare obscénité.

GUILLAUME DE MACHAUT *(v. 1300-v. 1377)*

Il est originaire d'une famille non noble de Machault, petit village des Ardennes. Musicien, poète, auteur de *dits* narratifs et lyriques, d'une chronique en vers, Guillaume de Machaut apparaît dans les lettres médiévales comme porteur d'une volonté de totalisation des codes, des traditions et des savoirs transmis à son époque. Soucieux de définition des formes, il a établi les règles rythmiques et métriques de la plupart des « genres à forme fixe » qui connaîtront un grand succès pendant deux siècles : ballade, rondeau, virelai. Mais ce sont les *dits*, poèmes longs composés de parties lyriques et de parties narratives imbriquées, qui constituent la part la plus remarquable de son œuvre riche et variée.

Clerc, il fut au service, comme secrétaire et aumônier, de plusieurs grands seigneurs de son temps, en particulier de Jean de Bohême, roi de Luxembourg. Nommé chanoine de Reims, il vint s'installer dans cette ville à partir de 1340 et y vécut jusqu'en 1377. Figure de maître que la sienne dont la maîtrise reconnue par ses contemporains le sera encore par de nombreux disciples dans toute l'Europe jusqu'à la fin du XVe siècle.

GUIRAUT RIQUIER *(Narbonne, v. 1230-1293)*

Mort après 1292, il a le sentiment de pratiquer un art qui n'est plus compris. Son activité, en effet, se situe à une époque (1256-1280) où le déclin du « trobar » est déjà bien engagé. Fait assez rare, on n'a pas de *Vida* de lui. Originaire de Narbonne, il semble avoir passé une partie de sa carrière en Espagne auprès d'Alphonse X de Castille, avant de revenir en Occitanie où on le voit chercher des protecteurs dans de petites cours comme celle de Rodez. Au fil de son œuvre, la dérive de la « fin'amor » d'un objet humain (la dame) à un objet divin (la Vierge), est sensible.

HÉLINANT DE FROIDMONT *(vers 1160-abbaye de Froidmont, v. 1230)*

Hélinant, né entre 1160 et 1170, fut d'abord trouvère et a avoué avoir mené à la cour de Philippe Auguste une vie frivole et dissipée. Il se convertit vers 1190 et entre à l'abbaye cistercienne de Froidmont en Beauvaisis. Il écrit alors ses *Vers de la Mort* (entre 1194 et 1197), texte puissant et inspiré, qui aura une influence considérable. Il inaugure dans cette œuvre une forme, le douzain d'octosyllabes selon le schéma de rimes : *aab aab bba bba*, forme promise à un immense succès. Elle est souvent désignée sous le nom de strophe d'Hélinant. Il est également l'auteur d'une œuvre importante en latin : sermons, épîtres et surtout chronique.

JAUFRÉ RUDEL

On ne sait pratiquement rien de la vie de ce troubadour, qui vécut dans la première moitié du XIIe siècle. On le dit « prince de Blaye », c'est-à-dire seigneur d'une petite châtellenie de la région de Bordeaux. Il est à peu près certain qu'il se croisa et partit outre-mer en 1147, avec Louis VII et le comte de Toulouse, et qu'il n'en revint pas. Sa *Vida* emprunte le motif de son « amour de loin » pour la comtesse de Tripoli à ses cansos, mais rien ne prouve qu'il y ait la moindre trace de vérité dans cette histoire.

JEAN BODEL *(v. 1165-v. 1210)*

C'est le premier représentant des trois générations d'écrivains arrageois qui pendant tout le XIIIe siècle vont prospérer en même temps que la cité bourgeoise. Nous ignorons tout de sa naissance et de sa vie : c'est un « jongleur », sans doute, et un « ménestrel », appartenant à une sorte de confrérie de jongleurs qui semble être apparue à Arras à la fin du XIIe siècle. Atteint de la lèpre, ce qui l'empêche probablement de participer à la IVe Croisade, il doit en 1202 se retirer dans une « meselerie », et compose à cette occasion les premiers *Congés*, que reprendront plus tard Baude Fastoul, dans les mêmes circonstances, et Adam de la Halle, désireux d'aller à Paris poursuivre ses études interrompues.

Son œuvre est variée. Nous avons de lui, outre les *Congés*, déjà mentionnés, le début d'une chanson de geste, les *Saisnes*, c'est-à-dire les *Saxons*, plusieurs pastourelles, sans doute quelques fabliaux, et le *Jeu de saint Nicolas*, l'une des toutes premières pièces de théâtre en langue vulgaire.

JEAN DE BRAINE

Grand seigneur, cousin du roi Louis VIII, il mourut à la croisade en 1240. Il a été le protecteur du trouvère Moniot d'Arras et est lui-même l'auteur de deux chansons d'amour et d'une pastourelle, originale dans le genre : la bergère y résiste avec finesse aux avances du chevalier.

JEAN FROISSART *(Valenciennes, v. 1337-v. 1404)*

Il commence en 1361 sa carrière en Angleterre au service de la reine Philippa de Hainaut, puis après la mort de cette dernière, revient sur le continent où il va de protecteur en protecteur. Afin de rassembler une documentation de première main pour ses *Chroniques*, il voyage beaucoup, de l'Écosse à l'Italie : on le rencontre entre autres à la cour de Gaston Phébus, comte de Foix.

Beaucoup plus connu comme historien que comme romancier ou poète, il n'en a pas moins composé, outre un roman arthurien en vers, *Meliador*, un certain nombre de *dits* allégoriques dans la tradition de Guillaume de Machaut, comme « L'Espinette amoureuse », « La Prison amoureuse », « Le Joli buisson de Jonece » et des pièces lyriques, ballades et rondeaux. Une même réflexion sur le temps traverse ses *Chroniques*, ses poèmes et ses *dits*. Dans ces derniers, Jean Froissart s'interroge en outre sur l'amour et la création poétique : « li mestiers gens ».

LEMAIRE DE BELGES, Jean *(Bavay, v. 1473-v. 1525)*

Originaire du Hainaut, il est le filleul de Jean Molinet, de qui il reçoit sa première éducation. Après des études à l'Université de Paris, il est tour à tour précepteur d'enfants nobles près de Mâcon, « clerc de finances » du duc Pierre de Bourbon, mari d'Anne de Beaujeu, puis trouve un protecteur en la personne de Louis de Luxembourg, cousin d'Anne de Beaujeu. A partir de 1504, il est au service de Marguerite d'Autriche, pour laquelle il compose plusieurs poèmes (« La Couronne margaritique », « Les Épîtres de l'Amant vert », 1505). Grâce à elle, il obtient un canonicat à Valenciennes et hérite de la charge d'« indiciaire » (c'est-à-dire d'historiographe) de Molinet, à la mort de celui-ci. Il commence alors les *Illustrations de Gaule et Singularités de Troie*, vaste ouvrage historique dont la composition est souvent interrompue par ses nombreuses missions. Plus ou moins brouillé avec Marguerite d'Autriche, il se retrouve en 1512 à la cour de France au service de la reine Anne. A la mort de celle-ci, il disparaît, et on ignore la date exacte de sa mort et les circonstances de ses dernières années.

MAROT, Jean *(Mathieu, près de Caen, v. 1463-Cahors ? v. 1526)*

On ignore sa date de naissance : il naît à Caen, sans doute vers le milieu du XVe siècle. Il s'installe à Cahors où naîtra son fils Clément en 1496. Après des débuts littéraires modestes, il obtient un poste de secrétaire auprès de la reine Anne, puis accompagne Louis XII dans ses aventures italiennes. Après la mort de la reine, il trouve une place à la cour de François Ier. Il atteint la célébrité de son vivant, et ses œuvres sont très appréciées pendant le XVIe siècle, avant d'être éclipsées par celles de son fils.

MOLINET, Jean *(Desvres, 1435-1507)*

Après avoir passé quelque temps à la cour de Savoie, il parvient à entrer au service du duc de Bourgogne comme « indiciaire », c'est-à-dire chroniqueur. Il succède dans cette charge à Georges Chastellain. En 1477, il passe au service de la fille de Charles le Téméraire, la future mère de Marguerite d'Autriche. Devenu veuf, il obtient une charge de chanoine à Valenciennes.

Il laisse une œuvre poétique très importante comprenant de nombreux textes politiques en étroite relation avec sa profession d'« indiciaire ». Sa virtuosité formelle étonnante, son imagination débridée, son langage qui traverse tous les styles, du plus haut au plus gaillard, fascinent.

PEIRE CARDENAL *(Le Puy-en-Velay, v. 1190-?)*

Il appartient à une génération plus tardive de troubadours, et semble avoir bénéficié d'une remarquable longévité : son biographe affirme qu'il vécut plus de cent ans. De famille noble, et destiné au canonicat, ce qui explique qu'il ait reçu une éducation soignée, il choisit à l'âge adulte d'adopter la vie d'un poète de cour. Sa grande spécialité est le « sirventès » moral, dans lequel il attaque avec violence la décadence des mœurs à son époque.

PEIRE VIDAL *(Toulouse, v. 1150-v. 1210)*

Actif au tournant du XIIe siècle, il fait partie des troubadours d'origine non noble, étant fils d'un pelletier de Toulouse. Il mène une existence mouvementée, voyageant beaucoup en Europe et outre-mer (à l'époque de la IVe Croisade), et est considéré par son biographe comme « l'un des hommes les plus fous qui furent au monde » : sa plus grande folie serait d'avoir épousé une femme qu'on lui avait présentée comme héritière de l'empire de Constantinople, et d'avoir lui-même prétendu à l'empire. Ses principaux protecteurs sont Barral de Baux et Boniface de Montferrat. Ses poèmes appartiennent à des registres très variés. Il y multiplie les vantardises et les plaisanteries de plus ou moins mauvais goût, qui, toujours selon sa *Vida*, lui ont valu d'avoir la langue coupée par un seigneur ulcéré...

PHILIPPE DE THAUN

Ce clerc qui vivait en Angleterre dans le premier tiers du XIIe siècle a adapté en vers le *Physiologus* (compilation dont la version primitive, en grec, remonte au IIe siècle après Jésus-Christ, et qui consiste en un répertoire d'animaux, plantes et minéraux dont on énumère les propriétés et la valeur symbolique). Son *Bestiaire*, le premier du genre en langue vulgaire, est dédié à Aélis de Louvain, épouse d'Henri Ier Beauclerc, roi d'Angleterre. Comme toutes les œuvres de ce type, il accorde une très grande importance à l'interprétation des animaux décrits de manière fabuleuse. Il en fait une lecture religieuse et chrétienne, alors que par la suite on verra dans d'autres œuvres la même matière interprétée selon les concepts de l'amour courtois : c'est le cas du *Bestiaire d'Amour* de Richard de Fournival, ou, dans une optique moins systématique, d'un certain nombre de chansons de Thibaut de Champagne reprenant la thématique des *Bestiaires.*

RENÉ D'ANJOU *(Angers, 1409-Aix, 1480)*

Sa vie est marquée par une série d'héritages, de couronnes gagnées, puis perdues. Ainsi du royaume de Naples dont il hérite en 1435 à la mort de la reine Jeanne, dont il prend possession en 1438 et dont il est finalement chassé par Alphonse d'Aragon. Amateur d'art et de lettres, épris d'exotisme, de tournois, de fêtes, il réside à Angers entre les années 1445 et 1470, entouré d'artistes et de livres, échangeant des rondeaux avec le prince, son voisin, Charles d'Orléans. Quand Louis XI le chasse d'Anjou, il s'installe en Provence.

Il combine dans *Le Livre du Cœur d'Amours espris* (1457), qui mêle prose et vers, la tradition du roman arthurien et celle, allégorique, du *Roman de la rose.* On y perçoit nettement son goût des arts (tombeaux, tapisseries) et de l'exotisme. Un des manuscrits du *Livre du Cœur d'Amours espris* est illustré par un peintre remarquable (voir pp. 165 et 179).

RUTEBEUF *(XIIIe s.)*

Nous ignorons à peu près tout de sa vie, en dépit des apparences autobiographiques de son œuvre. En effet, les « confidences » que nous croyons y lire relèvent davantage d'une topique du « jongleur malheureux » qu'elles ne relatent des épisodes authentiques de la vie de Rutebeuf. Son nom même, qui lui a permis de faire de multiples jeux de mots, est une énigme : il s'agit manifestement d'un surnom, qui suggère peut-être que le poète ait été de très basse extraction ou d'un sobriquet : *rude bœuf* reçu en milieu scolaire. La plus ancienne de ses pièces est datée de 1249, mais nous ne savons pas quelle était la situation de Rutebeuf à cette époque. Peut-être est-il originaire de Champagne, si l'on en juge par quelques traits linguistiques de certaines de ses pièces, mais il vit et fait carrière à Paris. Il semble avoir une culture de « clerc » (il connaît bien le latin), et a une bonne connaissance de la littérature profane qui l'a précédé. Participant aux grands débats de l'époque, il se déchaîne avec une férocité exceptionnelle contre les ordres mendiants et, dans la querelle de l'Université, il prend parti pour Guillaume de Saint-Amour. Le dernier poème que l'on puisse lui attribuer avec certitude date au plus tôt de 1285, mais dans l'ensemble, son activité poétique se situe entre 1250 et 1277.

En plus d'un quart de siècle, il a écrit 55 textes seulement, de longueur en général assez réduite. Son œuvre très variée contient aussi bien des poèmes véritablement lyriques (les deux *Griesches*, le *Mariage Rutebeuf*, la *Complainte Rutebeuf*, etc.), que des fabliaux, des pièces très violemment polémiques et satiriques, des vies de saintes ou des miracles (le « Miracle de Théophile »).

SAINT-GELAYS, Octavien de *(Cognac, 1468-1502)*

D'origine noble, il fait à Paris des études de droit, puis est introduit à la cour par son frère aîné. Il y remporte un vif succès grâce à son talent de poète, et compose une œuvre considérable, dont la pièce maîtresse est le *Séjour d'honneur* (1489-1493). En 1495, il réussit à se faire élire évêque d'Angoulême grâce à ses appuis politiques. Il n'en continue pas moins à écrire, mais meurt encore jeune en 1502.

THIBAUT DE CHAMPAGNE *(1201-Pampelune, 1253)*

C'est un des plus grands seigneurs de son temps et il a joué un rôle important dans les grands événements politiques du deuxième quart du XIIIe siècle. Petit-fils d'Henri le Libéral et de Marie de Champagne, il est le fils posthume de Thibaut III, mort en 1201. Comte de Champagne et de Brie, il devient en outre roi de Navarre en 1234 (à la mort de son oncle maternel). Très jeune, il participe à la bataille de Bouvines et lutte contre les Anglais aux côtés de Louis VIII. Mais, après la mort du roi, il fait partie des barons qui se révoltent contre l'autorité de la régente Blanche de Castille, qu'une légende très courante dans les chroniques contemporaines présente pourtant comme la dame qu'il chante dans ses poèmes. Après des périodes de rébellion ouverte et des réconciliations provisoires, il se soumet définitivement en 1236. Il se croise en 1230 et part effectivement en Terre sainte en 1239, pour en revenir, sans y avoir rien gagné, dès 1240. Il participe aux côtés de saint Louis à quelques campagnes militaires.

La chanson « Ausi com unicorne... » où apparaissent avec discrétion quelques-unes des premières personnifications allégoriques, réemploie avec délicatesse la thématique des *Bestiaires*.

« TRISTAN ET YSEUT »

Bien évidemment, ce n'est pas « Yseut » l'auteur réel du *Lai mortel*. Mais l'attribution par le roman de *Tristan* en prose de ce texte à l'un de ses personnages principaux est significatif d'une démarche qui devient de plus en plus fréquente dans le courant du XIIIe siècle : la poésie, au lieu d'être perçue comme un genre indépendant, en vient à jouer le rôle d'illustration et de complément à une trame narrative connue. Le ou les auteur(s) du *Tristan* en prose, dont nous ne savons rien, privilégient tout particulièrement cette technique. Du reste, dès les premiers textes ayant trait à Tristan, celui-ci est présenté comme un excellent « harpeur » et un « chanteur » accompli : en échange de sa guérison par la reine d'Irlande, il est chargé d'enseigner ces arts à Yseut, et y réussit si bien qu'elle est capable par la suite de composer un poème comme le « Lai mortel »...

« TUROLD »

Ci falt la geste que Turoldus declinet énonce le dernier vers de *La Chanson de Roland.* Qui est ce Turold, au nom normand signifiant « la puissance du dieu Thor », dont la forme latinisée apparaît à la fin de l'œuvre ? S'agit-il de l'auteur de *La Chanson de Roland*, de l'auteur de la source dont se serait inspiré le poète ? S'agit-il du scribe qui a « mis en écrit » le manuscrit d'Oxford ? S'agit-il de l'un des jongleurs qui récitent la *Chanson* et dont le nom, par un étrange hasard, aurait été noté par un copiste scrupuleux ? Toutes les hypothèses sont permises, et en fait, nous n'avons aucune idée de l'identité de ce mystérieux Turold, pas plus que de l'identité de l'auteur de *La Chanson de Roland*, en admettant qu'il y en ait eu un et un seul. On trouve certes dans des textes d'archives de la fin du XIe siècle la mention de plusieurs *Turoldus*. Tel est le nom en particulier du demi-frère de Guillaume le Conquérant, figure de moine guerrier qui rappelle le personnage de l'archevêque Turpin de *La Chanson de Roland*. On sait également que la Tapisserie de Bayeux, qui évoque en images la bataille de Hastings, représente un petit personnage nommé *Turold* sur la broderie. Mais quels sont les rapports de ces personnages avec le *Turold* de *La Chanson de Roland*? Nul ne peut le dire avec certitude. On assiste au Moyen Age à un curieux va-et-vient entre les personnages des œuvres littéraires et leurs auteurs prétendus. Ainsi l'archevêque Turpin a paru offrir des garanties d'authenticité suffisantes pour qu'une chronique latine des guerres de Charlemagne en Espagne lui soit attribuée dans la première moitié du XIIe siècle.

VILLON, François *(Paris, v. 1431-?)*

On ne sait souvent pas grand-chose sur la vie des poètes médiévaux ; mais le cas de Villon est particulier, dans la mesure où les rares renseignements dont nous disposions — sans d'ailleurs être certains de leur exactitude —, ont contribué au développement d'un véritable mythe : celui du « poète mauvais garçon », qui a inspiré de nombreux biographes modernes. Et il faut une sorte de génie pour raconter pendant quelques centaines de pages une existence sur laquelle nous ne savons en fait rien, ou si peu...

Quelques documents juridiques semblent corroborer les indications que Villon lui-même donne dans son œuvre ; mais il va de soi que les « confidences » du poète relèvent sans doute pour une très large part de la fiction. Il semble que Villon soit né en 1431, et qu'il ait été élevé par un plus ou moins estimable chanoine auquel il doit son nom. Étudiant à Paris, il est bachelier en 1449 puis licencié ès arts, et maître en 1452, ce qui lui donne le droit d'enseigner.

C'est à ce moment que sa carrière prend une tournure dangereuse. En 1455, il tue un prêtre au cours d'une rixe, fuit Paris pour éviter la prison, n'y revient, semble-t-il, que pour participer au cambriolage du Collège de Navarre. Une nouvelle fois contraint à la fuite, il rédige dans la lignée des « Congés » des poètes d'Arras la première œuvre que nous ayons de lui : le *Lais*, appelé souvent le *Petit Testament*.

Pendant les années qui suivent, il fait divers séjours en prison, pour des motifs obscurs, et compose un certain nombre de pièces isolées qu'il insérera plus tard dans le *Testament* proprement dit, qui date sans doute de 1461. C'est au cours de cette période qu'il fréquente la cour de Charles d'Orléans, et qu'il a l'occasion de participer au « concours de Blois ».

Dès son retour à Paris, il est à nouveau compromis dans une rixe et condamné à la pendaison : de cette époque date la très célèbre *Épitaphe Villon*. Il fait appel de ce jugement, et obtient que sa peine soit commuée en dix ans d'exil hors de Paris. Après cela, nous ne savons plus rien de lui.

Commentaires

par

Jacqueline Cerquiglini

avec la collaboration

d'*Anne Berthelot*

L'origine

Les origines de la littérature, plus exactement, puisque les premiers textes dont nous disposons sont des poèmes, épiques ou lyriques, de la poésie en langue vulgaire, restent obscures. La critique en un peu plus d'un siècle a mis sur pied de très nombreuses théories, souvent contradictoires, qui proposent à peu près tous les cas de figure.

La chanson de geste

Le problème essentiel que pose la poésie épique est celui du passage de l'oral à l'écrit. *La Chanson de Roland* apparaît dans le manuscrit d'Oxford dans la deuxième moitié du XIe siècle. C'est un texte achevé, parfaitement construit et maîtrisé : doit-on supposer qu'il en a existé d'autres versions, représentant les étapes intermédiaires de la création ? Ou au contraire qu'un poète de génie a un jour rassemblé les traditions éparses conservant le souvenir de Roncevaux, et en a composé un chef-d'œuvre ? En général, ces deux théories s'accordent sur un compromis : il a sans doute existé, sur les routes de pèlerinage menant à Saint-Jacques-de-Compostelle, dans les abbayes qui jalonnent le chemin parcouru par les héros du poème, des

« cantilènes » commémorant leurs prouesses : poèmes en latin[1] ou en langue vulgaire, composés peut-être par des moines, chantés par les jongleurs itinérants, en tout cas fragmentaires. Peut-être ces chants n'étaient-ils même pas conservés par écrit : ils se transmettaient oralement, de pèlerin à jongleur, et présentaient toutes les caractéristiques formelles du poème oral.

Et puis il s'est trouvé un jour un poète qui a réuni ces « cantilènes », pour en faire l'épopée que nous connaissons, et qui n'a plus que de lointains rapports avec la tradition de l'oralité. Nous ne savons rien de l'auteur de *La Chanson de Roland*, nous ignorons même si le fameux Turold dont le nom apparaît dans le dernier vers en était l'auteur, ou s'il s'agit simplement d'un scribe, dont la signature se serait attachée par hasard à l'œuvre. Du moins dans ce cas disposons-nous d'un nom, ce qui n'est pas le cas pour la plupart des autres chansons de geste.

La poésie lyrique

En ce qui concerne la poésie lyrique, le mystère des origines est à peu près aussi épais. On a voulu voir dans les concepts fondateurs de la « fin'amor » la trace d'emprunts à la poésie arabe : hypothèse renforcée par la proximité géographique des deux cultures pendant des siècles, et par l'influence de l'art mozarabe sur l'art « roman », essentiellement dans les pays de langue d'oc. Ce qu'il y a de sûr, c'est que le lyrisme des troubadours n'est pas cantonné dans le domaine provençal : il existe des troubadours espagnols, catalans, et, bien sûr, italiens. Après la « croisade contre les albigeois » (1208), les derniers représentants de cette

1. La « geste », c'est, directement emprunté au latin, le récit des « gesta », c'est-à-dire des hauts faits des héros.

sorte de poésie sont originaires d'Italie, ou bien s'y réfugient. La passation des pouvoirs, nouvelle étape de la *translatio studii*[1], se fait plutôt en direction de l'Italie que de la France du Nord, malgré les apparences.

Cependant, tous les genres exploités par les poètes de langue d'oïl pendant le XIIIe siècle semblent avoir été directement acclimatés de la poésie provençale. On ne saurait surestimer le rôle joué dans ce sens par le mariage d'Aliénor d'Aquitaine avec Louis VII, roi de France. Elle-même petite-fille de Guillaume IX de Poitiers, le premier troubadour, elle a apporté à la cour de France une culture et un raffinement qu'on ignorait jusqu'alors. De surcroît, elle était entourée d'artistes exceptionnels — tel Bernard de Ventadour — qui ont pu considérablement influencer les poètes de la première génération de langue d'oïl. Son divorce d'avec le roi de France et son remariage avec Henri II Plantagenêt ne fut pas seulement une catastrophe sur le plan politique, mais déplaça pendant une génération le centre de gravité culturelle de l'Europe vers l'Angleterre. Cependant, ses deux filles, Aelis de Blois et Marie de Champagne, continuèrent son œuvre en tenant dans leurs domaines respectifs les premières cours véritablement courtoises, et en protégeant assidûment les poètes[2].

La poésie inspirée des troubadours prend néanmoins

1. Théorie selon laquelle toute la « sapience », c'est-à-dire la sagesse et la culture du monde aurait pris naissance en Grèce (et dans certaines versions raffinées à Troie), puis serait passée à Rome, avant de se fixer en Occident — selon la nationalité de l'auteur en cause, à Paris ou en Angleterre, à la cour de France ou à celle d'Henri II Plantagenêt.

2. En particulier Chrétien de Troyes, à qui Marie commandita *Le Chevalier de la charrette*. Cf. *Romanciers et chroniqueurs du Moyen Age* dans la même collection.

une tonalité assez différente dans le domaine d'oïl : les principes de la « fin'amor » sont à l'origine de ceux de l'« amour courtois », mais ne se confondent pas avec eux. L'expression la plus naturelle de la culture courtoise dans le Nord est le roman. Les œuvres qui relèvent du « grand chant » ne sont pas, comme celles des troubadours pendant plus d'un siècle, la seule forme de littérature existante. Le trouvère choisit consciemment la voie du lyrisme, alors que pour son homologue provençal, c'était la seule solution.

Thèmes, genres et personnages

La « fin'amor »

La poésie des troubadours a inventé le concept de « fin'amor », c'est-à-dire d'amour parfaite (« amor » étant féminin en ancien français, même au singulier). A partir des « cansos », poèmes dédiés à la dame du poète, on peut définir un système de valeurs très détaillé et très raffiné. Dans une société passablement misogyne, l'originalité de la « fin'amor » est de prôner la soumission totale de l'amant à sa dame : celle-ci porte en langue d'oc le titre de « dompna », qui dérive du latin « domina ».

On a proposé une explication sociologique de cette situation : les jeunes chevaliers récemment adoubés, qui servaient à la cour d'un plus puissant seigneur et n'avaient pas encore de terre à eux, ne pouvaient envisager de s'établir ni de se marier. Par compensation, ils aspiraient à conquérir la seule femme avec laquelle ils étaient en relation, l'épouse de leur suzerain, à la fois toute-puissante et inaccessible. Très souvent, le code de la « fin'amor » s'exprime dans les termes de l'hommage féodal ; l'amant est l' « homme lige » de sa dame. Il arrive même que le « senhal » de la dame soit « Mi dons », c'est-à-dire « Mon seigneur » : la dame se trouve ainsi masculinisée au cœur même de la situation amoureuse.

Ce « senhal » est le nom de code de la dame, en quelque sorte ; il permet de parler d'elle sans révéler à tous son identité : or le secret est un principe fondamental de la « fin'amor » : il faut dissimuler au monde une relation privilégiée qu'il ne comprendrait pas, et qui serait interprétée à tort comme un banal adultère par les « losengiers », les « médisants ».

La relation triangulaire

Les « losengiers » sont présents dans presque toutes les chansons : ils informent les maris jaloux, et les conduisent à prendre des mesures contre leurs épouses présumées infidèles : emprisonnement dans une tour, châtiments corporels (c'est le motif récurrent de la « maumariée », la mal-mariée qui rêve d'un ami absent, mort ou inexistant ; ce thème est si riche qu'il a suscité l'apparition d'un « sous-genre » indépendant, où l'on trouve des textes comme le très célèbre *Pourquoi me bat mon mari, pauvrette !* que nous donnons p. 50), ou contre les amants : la vengeance la plus célèbre est celle du « Cœur mangé ». Le seigneur de Castel-Roussillon est supposé avoir tué le troubadour Guilhem de Cabestanh, et avoir servi son cœur à sa femme pour dîner. Désespérée, la dame aurait déclaré qu'elle ne voulait plus jamais prendre de nourriture après un mets si délectable, et se serait jetée du haut de sa tour. La même histoire, qui réemploie d'ailleurs un motif folklorique, est associée au nom d'un trouvère, le châtelain de Coucy, sous une forme un peu moins féroce : le châtelain, étant mort en croisade, aurait fait envoyer son cœur comme « relique » à sa dame, et le mari, ayant intercepté le message, aurait donné ce cœur à manger à sa femme, selon la tradition.

L'existence du mari est indispensable ; en effet, l'amour courtois est par essence un amour adultère. L'« amour des jeunes filles » est considéré comme une forme inférieure du sentiment amoureux. Quant au concept d'amour conjugal, il est totalement inimaginable dans le cadre de la « fin'amor ». Ce principe, qui garantit l'inaccessibilité de la dame, et accroît la difficulté du jeu, est poussé si loin que les jugements des soi-disant « cours d'amour » obligeront la dame qui a épousé son « ami » à accéder à la prière d'amour d'un ancien prétendant : elle ne peut plus, en effet, prétendre encore aimer d'amour, puisqu'elle est *mariée* à son amant.

Théorie de l'amour courtois

L'amant, qui porte le nom d'« ami », est, ou se place, en position d'infériorité. (Dans le cas d'un très grand seigneur comme Guillaume d'Aquitaine, cette inversion des rôles relève du jeu formel.) Il ose à peine déclarer son amour à la dame, qui a le droit de n'en pas tenir compte, ou de lui imposer des épreuves cruelles avant de le satisfaire. Cependant le « joi » d'amour ne consiste pas tant, semble-t-il, dans l'exaucement du désir, que dans la tension indéfinie qui le précède ou le remplace. Certains textes paraissent suggérer l'existence de toute une série d'étapes de l'intimité croissante entre la dame et l'amant, culminant dans l'« asag », c'est-à-dire l'« essai » de l'amant, admis à tenir sa dame dans ses bras pendant une nuit, « nu à nue », mais sans rien faire de plus : la réussite de cette épreuve conduirait à la consommation de l'amour peu de temps après. Mais on a de plus en plus tendance à considérer l'« asag » comme une fiction, qui n'a jamais eu lieu dans la réalité.

Car, à côté des poèmes inspirés de la « fin'amor », est apparue une littérature secondaire, codifiant les principes de cet amour que l'on appellera « courtois » lorsqu'il sera passé de la France d'oc à la France d'oïl, et se sera acclimaté dans les cours du Nord (à Blois et en Champagne, en particulier, chez les deux filles d'Aliénor d'Aquitaine, petite-fille de Guillaume IX, le premier troubadour). Certains textes, comme le *Traité de l'Amour courtois*, d'André le Chapelain, envisagent tous les cas de figure possibles à partir de la situation de base de l'amour, et établissent un système de rétribution qui tend à estomper le déséquilibre en faveur de la dame toute-puissante. La rhétorique de la « fin'amor » en vient à avoir une valeur contraignante, puisqu'il n'est pas imaginable que la dame ne soit pas tôt ou tard convaincue et obligée d'aimer en retour son soupirant, si celui-ci est conforme au modèle courtois.

L'automne de la courtoisie

C'est contre cette logique aveugle que s'élève la *Belle Dame sans merci* d'Alain Chartier, à une époque où l'idéal de l'amour courtois est sérieusement remis en cause. En effet, il est devenu une machine de guerre qui prend la dame à son piège, et les beaux discours des amants, usés par deux siècles de pratique intensive, sont totalement vidés de leur contenu. La « Belle Dame », absolument insensible aux lamentations de son amant, dénonce le chantage implicite dans l'argumentation courtoise, et met à nu les exagérations rhétoriques du discours amoureux. En revanche la dame des *Cent Ballades d'amant et de dame* de

Christine de Pizan, quoiqu'elle se méfie *a priori* des « beaux semblants d'amour », est en définitive la victime d'un code qui se survit à lui-même.

Poésie mariale

A force de placer la dame sur un piédestal, le poète-amant finit par la déréaliser complètement. De ce fait, et compte tenu des tendances de la « fin'amor » qui exaltent la femme aux dépens de l'homme, une dérive facile a lieu, de telle dame, réelle ou imaginaire (Bertrand de Born écrit une « canso » en l'honneur d'une dame qui n'existe pas, mais qu'il a composée de fragments empruntés à d'autres dames...), vers la seule dame digne d'être aimée, c'est-à-dire la Vierge. La dévotion mariale se développe de manière spectaculaire, et de nombreux troubadours et trouvères consacrent des chants à sainte Marie, en soulignant le contraste entre cet amour pur et parfait et les amours médiocres qui les ont attachés à « Marot ou Marion » (diminutifs familiers du prénom Marie). La rhétorique de la poésie mariale est exactement la même que celle des chansons courtoises, au point que l'on peut transformer, au prix de quelques modifications de détail, un poème primitivement dédié à une dame bien humaine en poème à la gloire de la Vierge. Cette tendance se maintient tout au long du Moyen Age, et les « grands rhétoriqueurs » écrivent encore des « chants royaux » dans lesquels ils passent en revue les vertus de la Vierge : la poésie rejoint alors la litanie.

Poésie et allégorie

Les personnages du jeu courtois correspondent d'emblée à des types plutôt qu'à des figures individualisées. Il est donc naturel que rapidement ils soient remplacés par les personnifications de leurs sentiments : « Dangier » se substitue efficacement aux « losengiers », les vertus de la dame ou les désirs de l'amant sont représentés par autant de personnages : Doux Regard, Bel Accueil, Pitié, Cœur... C'est le triomphe de l'allégorie, qui tend aussi à remplacer la situation statique et intemporelle de la chanson en une aventure minimale, mieux adaptée au cadre narratif : les chefs-d'œuvre de l'écriture allégorique sont *Le Roman de la Rose* de Guillaume de Lorris, et *Le Livre du Cœur d'Amours espris* de René d'Anjou. Par ailleurs, la « fin'amor » n'est pas le seul registre traité par l'allégorie : les préoccupations morales revêtent aussi cette forme, particulièrement propice à la représentation des Vices et des Vertus. Le raffinement de l'art poétique consiste toutefois à user avec modération de l'allégorie, et à maintenir une hésitation dans l'esprit du lecteur, ou bien à filer la construction allégorique avec l'ombre d'un sourire, comme le fait avec une particulière habileté Charles d'Orléans.

Les genres poétiques

En langue d'oc

Le principe fondamental de la « fin'amor » est l'équivalence entre amour et chant, c'est-à-dire expression poétique. (Mais il va de soi que les « cansos » dont nous n'avons guère gardé que le texte, et non les mélodies, étaient destinées à être chantées devant leur dédicataire par exemple, ou dans une autre cour.) Qui aime chante. Et réciproquement : le chant ne peut naître que de l'amour. Si un troubadour est trahi par sa dame, si, pour une raison ou une autre, il cesse d'aimer, alors il cesse aussi de chanter. La loi du secret favorise probablement l'apparition d'un style obscur et hermétique, qu'on appelle le « trobar[1] clus », c'est-à-dire « clos », par opposition à un « trobar leu », « lâche », ou « facile ». Le troisième mode de poésie répertorié par les troubadours eux-mêmes est le « trobar ric », « riche », c'est-à-dire abondant en figures. Mais les contemporains eux-mêmes avaient du mal à distinguer les différents types, et pour nous il est presque impossible, en particulier, de distinguer le « trobar clus » du « trobar ric ».

La « canso » est le mode d'expression idéal de l'amour. A l'époque des premiers troubadours, elle porte d'ailleurs le nom générique de « vers ». Sa forme est assez souple : cinq ou six strophes, en général de huit ou neuf vers, et, le plus souvent, un couplet final plus court, qu'on appelle « tornada » ; le type de vers est libre, mais l'octosyllabe et l'heptasyllabe sont les plus fréquents ; de même, il n'y a pas de schéma de rimes imposé.

Cette prééminence de la « canso » n'empêche pas la lyrique occitane de se diversifier très tôt, et on voit apparaître des genres poétiques dont le contenu n'a pas de rapport avec la thématique de la « fin'amor » : le « sirventès », par exemple, poème satirique et polémique qui peut s'attaquer aux ridicules des contemporains ou des rivaux du poète, ou prendre violemment parti dans les luttes politiques de l'époque. Ou encore le « planh », c'est-à-dire la déploration funèbre d'un héros mort, qui reprend les motifs du « planctus » latin.

La mise en forme d'une théorie de la « fin'amor » a

1. « Trobar » est le verbe sur lequel on a formé le substantif « trobador » (et son féminin « trobaïritz ») ; il correspond au « trover » (« troveor ») de langue d'oïl ; il désigne l'activité poétique en général, l'art de « trouver » des vers, c'est-à-dire de composer ; il dérive du latin « tropare », « composer des tropes ».

provoqué l'apparition de genres dialogués, dans lesquels deux, ou parfois trois poètes, discutent d'un point litigieux de la casuistique courtoise. Ce débat peut être libre, et c'est ce que l'on appelle la « tenson », qui n'est d'ailleurs pas limitée aux thèmes de l'amour courtois, mais peut comme le « sirventès » aborder tous les sujets ; ou bien, au contraire, l'initiateur du débat peut donner le choix à son (ses) interlocuteur(s) entre deux (ou plusieurs) hypothèses, lui-même se réservant de défendre celle qu'il(s) n'a (ont) pas choisie : c'est le « partimen », ou « joc-partit » (qui deviendra le « jeu-parti » des trouvères).

A côté des « genres nobles » ou considérés comme tels, on trouve aussi des genres dits « popularisants », comme l'« aube » (séparation des amants au lever du soleil) ou la « pastourelle » (rencontre d'un chevalier et d'une bergère). La caractéristique dominante de ces formes est une tendance à la narrativisation du contenu : alors que la « canso » constitue un pur moment lyrique indépendant des circonstances spatio-temporelles qui l'ont suscitée, la pastourelle repose sur un schéma narratif minimal, et peut s'orienter dans plusieurs directions.

En langue d'oïl

Dans le domaine d'oïl, les « chansons de toile », ou « chansons d'histoire », sont encore plus représentatives de cet aspect du lyrisme médiéval. Prétendument écrites par des femmes, comme les « cantigas de amigo » portugaises, elles ne peuvent être chantées aussi que par des femmes. Contrairement aux « cansos » qui relèvent d'une parole exclusivement masculine (il y a très peu de « trobaïritz », et nous avons conservé très peu de textes d'elles), elles décrivent l'amour d'un point de vue féminin, c'est-à-dire, pour cette société, essentiellement statique : l'héroïne attend assise à sa fenêtre l'ami mort ou absent, et brode sous la surveillance de sa mère en rêvant à ses amours. Comme leur nom l'indique, ces textes racontent une histoire, concentrent en quelques strophes (en général pas plus d'une dizaine : mais quelques chansons de toile ébauchent un véritable roman en deux ou trois pages) l'essence de la « fin'amor ».

Le genre le plus universellement pratiqué par les poètes de langue d'oïl, pendant tout le XIIIe siècle, est la « chanson », homologue exact de la « canso » des troubadours. C'est le poème d'amour par définition. Sa forme se fixe tardivement ; la nature des vers, leur nombre par strophe et le nombre de strophes restent très variables. L'une de ses caractéristiques les plus stables est l'existence de l'« envoi », demi-strophe équivalant à la « tornada » provençale, dans lequel le poète s'adresse directement au destinataire de la chanson, qu'il s'agisse de la dame ou du « prince », témoin et garant de l'échange amoureux.

Parallèlement à la forme dominante qu'est la chanson se développe dans la poésie de langue d'oïl un genre qui n'a pas d'équivalent dans le domaine provençal : il s'agit du « lai » ; en fait, il en existe deux types. Le premier, qui se fonde sur la même thématique que la chanson, est caractérisé par sa virtuosité formelle. Sa structure mouvante est fixée au XIVe siècle, comme c'est le cas pour beaucoup d'autres genres, par Guillaume de Machaut : douze strophes, toutes différentes, reposant sur des mètres différents, à l'exception de la dernière qui reprend la forme métrique et strophique de la première. (Et il faut tenir compte de la méthode, qui renforçait encore cette complexité.) Le second type est celui du « lai arthurien », long poème composé de quatrains en octosyllabes monorimes dont le nombre varie. La mélodie qui les accompagne est la même à peu près pour chaque strophe, et la recherche formelle se manifeste surtout par la richesse et la variété des rimes (équivoques, léonines, etc.).

Il existe toutes sortes de variations sur ces formes de base. C'est pour une large mesure à Guillaume de Machaut que revient l'honneur, au XIVe siècle, d'avoir, sinon créé, du moins codifié, par son exemple, ce qu'on appelle les genres à forme fixe : avant tout la « ballade », mais aussi le « rondeau », le « virelai », etc. Eustache Deschamps, assumant l'héritage de Machaut, a entrepris de codifier pour de bon la mouvance poétique dans son traité de l'*Art de dictier*, c'est-à-dire l'art de composer. L'ouvrage est essentiel, qui témoigne de la naissance, en langue d'oïl, d'un souci de théorisation de la poésie. Le même phénomène avait eu lieu, un demi-siècle plus tôt, dans le domaine provençal ; un texte comme les *Leys d'Amors* manifeste une volonté de classification et d'organisation des ressources de la langue, perçues comme inséparables d'une réflexion sur la problématique de la « fin'amor ».

La « ballade » est au XIVe et au XVe siècle ce que la « chanson » est au XIIIe : c'est-à-dire le genre dominant, qui sert de véhicule aussi bien à l'expression des sentiments amoureux qu'à toutes sortes d'autres sujets. Elle est composée de trois strophes de longueur variable (en général huit ou dix vers), et d'un « envoi » équivalant à une demi-strophe. Le vers le plus employé est le décasyllabe, bien qu'on trouve des exemples d'à peu près tous les autres mètres. La caractéristique la plus marquante de la « ballade » est la présence d'un refrain d'un vers, quelquefois de deux, à la fin de chaque strophe, y compris l'« envoi ».

Le « rondeau » est également un genre à refrain. Sa structure de base, telle qu'on la voit se fixer d'Adam de la Halle à Guillaume de Machaut, est la suivante :

une pièce de huit vers, c'est-à-dire une forme brève comportant un refrain de deux vers sur deux rimes, qui figure au début et à la fin et dont le premier de ces deux vers réapparaît à la quatrième ligne. C'est la forme musicale par excellence, et celle dans laquelle s'est particulièrement illustré Charles d'Orléans. Quelques-uns des poèmes qui sont dans toutes les mémoires sont de sa plume : « Le temps a laissé son manteau... », « Les fourriers d'Été... »

La création poétique

Poètes du Moyen Age

Il est très difficile de définir avec quelque précision le statut des poètes médiévaux. Troubadours, trouvères et jongleurs constituent trois catégories d'interprètes de textes poétiques ; mais les deux premiers sont aussi, et avant tout, les auteurs des textes, et souvent les compositeurs des mélodies qui les accompagnent, alors que le jongleur se contente de diffuser les poèmes inventés par d'autres. Les *Vidas* des troubadours, textes tardifs en prose, qui prétendent donner des renseignements biographiques sur les poètes à partir de leurs propres textes, décrivent de manière amusante les différents cas de figure qui peuvent se présenter : cela va du troubadour qui compose des textes admirables, mais ne sait pas chanter, au jongleur qui en a assez un jour de n'être *que* jongleur, et qui se met à son tour à composer textes et mélodies en s'inspirant de ceux qu'il a interprétés pendant des années, en passant par le troubadour qui compose des mélodies (« sons ») excellentes, mais qui n'écrit que des paroles médiocres.

Les troubadours peuvent être de toutes conditions

sociales : les deux extrêmes sont représentés par Guillaume IX d'Aquitaine, le premier des grands troubadours, et l'un des plus grands seigneurs de son temps, d'une part, et par Bernard de Ventadour, fils d'un « boulanger » et d'une servante au service d'un petit seigneur de Provence, qui reçut une excellente éducation grâce à ce dernier, Ebles II de Ventadour, lui-même troubadour. La plupart, cependant, sont de petits seigneurs ou de simples roturiers, parfois des moines en rupture de couvent. Les *Vidas* mentionnent le cas d'un troubadour qui « enseignait », sans doute dans une école cathédrale, pendant l'hiver, et qui pendant l'été allait de cour en cour pour chanter ses chansons.

Le principe de la poésie des troubadours est une absolue gratuité. Il n'est pas question pour eux de poésie de circonstance. La situation se modifie en partie dans le cas des trouvères, c'est-à-dire des poètes de langue d'oïl. D'abord, et bien que la musique reste jusqu'au XIVe siècle un élément indissociable du texte poétique, l'art du « troveor » consiste plutôt à mettre des paroles nouvelles sur des mélodies déjà existantes. Ensuite, bien que la veine dominante reste celle de la poésie amoureuse, le « grand chant courtois », de nouveaux motifs apparaissent de plus en plus fréquemment, et avec eux une nouvelle catégorie de poètes : c'est Colin Muset qui se proclame incapable de chanter si on ne l'entretient pas mieux, c'est Rutebeuf racontant ses déboires matrimoniaux dans sa *Complainte*.

Ce ne sont pas des « jongleurs » au sens primitif du terme, c'est-à-dire de simples bateleurs récitant de ville en ville des textes dans la composition desquels ils n'étaient pour rien. Mais ce sont des « écrivains de métier », en quelque sorte, qui gagnent leur vie en exécutant les commandes de riches protecteurs, et qui n'hésitent pas à se plaindre lorsque les dons ne sont pas assez généreux. (Rutebeuf s'indigne contre la piété exagérée de saint Louis, qui ferme sa porte aux jongleurs pendant les repas, et les prive ainsi de leur gagne-pain.) Dans une certaine mesure, les œuvres qu'ils composent ressortissent à la poésie de circonstance, et ne se soucient pas d'être l'expression sincère de leurs sentiments personnels : les confidences que l'on croit discerner dans leurs poèmes ne sont souvent rien d'autre qu'une variation sur un motif obligé.

A partir du XIVe siècle se dessine une évolution qui conduira à l'« écrivain moderne ». Le poète, quand il n'est pas un grand seigneur, est souvent aussi, et avant tout, un « secrétaire », ou un homme d'Église, qui exerce à plein temps un métier sans rapport avec la poésie. Son œuvre se forme en marge de sa vie professionnelle, et est donc libérée des contraintes de la « commande », au sens économique du terme. Mais il est tout de même pris dans le réseau des échanges, concours, jeux et débats qui se tisse entre les différentes cours, et ne cesse de reprendre les mêmes motifs : il ne compose jamais dans un désert romantique. S'il est officiellement « poète de cour » — la fonction apparaît pour la première fois à la cour de Bourgogne —, il doit traiter sur ordre un certain nombre de thèmes, et son inspiration ne peut guère se donner libre cours qu'au niveau de la forme : ainsi s'explique en partie le culte de la virtuosité technique des « grands rhétoriqueurs ».

Réception et transmission

Pendant le Moyen Age

De manière très générale, c'est une erreur que de chercher de l'originalité dans la poésie médiévale. Dans un monde qui considère que tout a déjà été dit par les « grands anciens », et particulièrement par les auteurs (au sens d'autorités : ceux dont l'opinion a force de loi) chrétiens, l'habileté suprême consiste à donner une forme nouvelle à de vieux motifs. La littérature médiévale est une réécriture constante des textes antérieurs. A l'intérieur de la sphère poétique les motifs fonctionnent en circuit fermé, et chaque poème fait référence à tous ceux qui l'ont précédé, sans qu'il soit possible de le détacher du tronc commun pour l'apprécier isolément, comme on le fera plus tard pour un sonnet romantique, par exemple.

L'intertextualité, c'est-à-dire la mise en place d'un système d'échos généralisé, est la clef de voûte de la théorie poétique. Il n'est pas question de renouveler le réservoir de motifs et de situations fourni par la tradition lyrique ; le renouvellement intervient au niveau de la forme, et cette quête de la perfection formelle aboutit à la fin du XVe siècle à l'art des « grands rhétoriqueurs » : le sens du poème n'a plus vraiment d'importance, ce qui compte c'est l'exploitation raffinée de toutes les ressources de la langue. Poussée au dernier degré, cette tendance donne des textes à proprement parler incompréhensibles, qui ne relèvent plus de la poésie mais du code secret qu'il convient de déchiffrer.

L'erreur du lecteur moderne est bien souvent d'appliquer ses catégories aux textes médiévaux ; il est vain de chercher dans les « chansons » des troubadours ou des trouvères la tonalité personnelle que le romantisme nous a appris à apprécier. Leur lyrisme se fonde sur l'expression abstraite de sentiments dépourvus de base référentielle dans le monde réel. Selon P. Zumthor, le « je » du poème lyrique est le mode d'expression personnel d'une instance impersonnelle. La notion de confidences poétiques, voire même de confession, n'a guère de sens pendant les XIIe et XIIIe siècles. Par la suite encore, la poésie prétendument autobiographique est le plus souvent un piège tendu au lecteur : c'est le cas pour l'œuvre de Villon, tout particulièrement, dont on a tenté, en vain, d'extraire des indications précises sur la vie de son auteur.

Cependant, cette clôture du poème sur lui-même a été ressentie dès le XIIIe siècle comme intolérable. La tendance à lire la poésie lyrique comme un récit autobiographique apparaît dès ce moment. Les grands « chansonniers », manuscrits qui rassemblent les œuvres de nombreux troubadours ou trouvères, ne sont pas seulement des anthologies au sens moderne du terme, ils contiennent aussi les commentaires suscités par chaque poème. A partir des données énigmatiques d'une « canso » comme celle de *L'Alouette* de Bernard de Ventadour, on invente un roman. Un mot, un thème, une allusion suffisent à déclencher le mécanisme de la glose : ainsi, l'histoire émouvante de Jaufré Rudel, amoureux sans l'avoir jamais vue de la comtesse de Tripoli, se croisant pour se rendre auprès d'elle et mourant dans ses bras à son arrivée, se fonde exclusivement sur le motif de l'« amor de lonh » qui revient fréquemment dans les chansons de Jaufré ; mais il ne s'agit pas tant d'une confidence que de la mise en place d'un concept fondamental de la « fin'amor »...

Le lyrisme, ainsi intégré à la vie quotidienne, devient un mode d'expression privilégié des héros de romans. Fragmentés, détachés de leur contexte, les poèmes sont insérés dans un cadre narratif qui leur convient plus ou moins : Jean Renart dans son *Roman de la Rose* (ou *de Guillaume de Dole*) compose une mosaïque de chansons, empruntées à l'œuvre de plusieurs trouvères, ou au corpus des « chansons de toile ». Certaines « scènes de genre » dépeignent naturellement, en quelque sorte, les personnages qui chantent en situation ; ainsi l'héroïne Lïenor, en train de broder dans la « chambre des dames », chante-t-elle deux « chansons de toile ». Mais de manière plus générale, les personnages en proie à une vive émotion se mettent tout à coup à s'exprimer par une chanson.

Une première génération d'écrivains se contente d'exploiter les ressources de la lyrique antérieure. Un texte allégorique comme la *Panthère d'Amour* de Nicole de Margival prend prétexte d'un schéma narratif très simple pour citer un grand nombre de poèmes préexistants, en donnant de surcroît le nom de leur auteur, ce qui constitue une démarche exceptionnelle au Moyen Age, où la notion de propriété littéraire n'a pas vraiment cours. Mais une nouvelle étape est franchie lorsque, au lieu de placer dans la bouche des personnages des chansons préexistantes, plus ou moins bien adaptées au contexte, on leur fait chanter de nouveaux poèmes composés par l'auteur du roman lui-même pour la circonstance : ainsi Adenet le Roi dans son *Cléomadès* invente-t-il une partie des chansons qu'il fait interpréter à ses héros. Dans certains manuscrits des grandes compilations romanesques du XIIIe et XIVe siècle (*Tristan* en prose, *Roman de Perceforest*), ce sont les personnages eux-mêmes qui sont supposés écrire des pièces poétiques correspondant au contexte : ainsi Tristan et Yseut chantent leur amour en s'accompagnant à la harpe : dès l'origine, Tristan est dépeint comme un excellent « trouveor » et un musicien hors pair...

Nos renseignements sur les poètes médiévaux sont trop fragmentaires pour que nous puissions nous faire une idée exacte des relations qui existaient entre eux. Dès le XIIIe siècle apparaissent dans certaines villes du Nord, comme Arras, des « confréries » de « ménestrels » (*cf.* Jean Bodel) : il s'agit peut-être plus d'une sorte de syndicat des « jongleurs » que d'une association de talents poétiques. Mais on voit assez tôt se multiplier les « concours poétiques », primés par les municipalités, et qui demandent aux participants des contributions sur un thème prédéterminé. Les « Jeux floraux » de Toulouse en sont un bon exemple, bien que les productions n'y soient pas à la hauteur des œuvres antérieures des troubadours.

Autour d'un grand seigneur peuvent s'organiser de véritables cénacles poétiques. Le manuscrit partiellement autographe de Charles d'Orléans rassemble non seulement les œuvres du prince lui-même, mais celles de ses « secrétaires » et courtisans, ainsi que celles des visiteurs de passage ou des grands personnages avec qui il était en correspondance : cela va de René d'Anjou à François Villon... Il nous reste plus d'une dizaine de versions de la fameuse « Ballade du concours de Blois », exercice obligé sur l'incipit « Je meurs de soif auprès de la fontaine ».

Aux « temps modernes »

La désaffection à l'égard de la poésie des siècles antérieurs commence avec les « grands rhétoriqueurs » : extrêmement soucieux de recherches formelles, ils ont tendance à condamner la simplicité de leurs prédécesseurs, assimilée à de la platitude. Tout occupés à redécouvrir les poètes antiques, et impressionnés d'ailleurs par les nouveautés venues d'Italie, les poètes de la Renaissance ne se montrent guère plus indulgents. Leur dette (par exemple celle des poètes de l'École lyonnaise) à l'égard du Moyen Age est assez importante pour qu'ils essaient de l'oublier le plus vite possible.

Dans les siècles qui suivent, la littérature médiévale sous toutes ses formes subit une éclipse à peu près totale. Seuls quelques originaux se passionnent pour tel ou tel genre, et s'efforcent d'adapter au goût du jour quelques œuvres anciennes. Il faut attendre la fin du XVIIIe siècle et le début du romantisme pour que, à la faveur du goût « gothique », on redécouvre le Moyen Age. Plus exactement, quelques aspects particuliers du Moyen Age, qui sont en accord avec l'esthétique du temps (ou du moins, qui paraissent l'être, aux yeux enthousiastes des romantiques...).

L'exemple de Jaufré Rudel est tout à fait significatif : la légende de la « princesse lointaine » a inspiré de nombreux poètes européens (de Swinburne à Heine, et jusqu'à une pièce de Rostand). Poètes et critiques se sont intéressés aux anciens poètes, pour les « traduire », les adapter, les commenter.

Vers mémorables

La Chanson de Roland

Ganelon à Roland : *Tu n'ies mes hom ne jo ne sui tis sire :* Tu n'es pas mon vassal et je ne suis pas ton seigneur.

Halt sunt li pui e mult halt les arbres : Hauts sont les monts, très hauts sont les arbres.

Il est question de Charlemagne :

Pluret des oilz, sa barbe blanche tiret : Il pleure de ses yeux, tire sa barbe blanche.

Ci falt la geste que Turoldus declinet : Ici s'arrête l'histoire que Turold achève.

Guillaume IX

La nostr'amor vai enaissi / Com la branca de l'albespi : Il en est de notre amour / Comme de la branche de l'aubépine.

Jaufré Rudel

Lanquan li jorn son lonc en mai : Lorsque les jours sont longs en mai...

Dieus que fetz tot quant ve ni vai : Dieu qui fit tout ce qui vient et va.

Qu'ieu ames e non fos amatz : Car j'aime et ne suis pas aimé. On comparera avec le vers de Gace Brûlé : *Qui touz jours aim et ja n'i iere amez,* Moi qui toujours aime et jamais ne serai aimé.

Bernard de Ventadour

C'aissi'm perdei com perdet se / Lo bel Narcisus en la fon : Et je me perds comme se perdit / Le beau Narcisse à la fontaine.

Peire Vidal

Qu'om no sap tan dous repaire / Cum de Rozer tro c'a Vensa / Si cum clau mars et Durensa : On ne connaît plus douce contrée / Que celle qui va du Rhône à Vence, / Qu'enclosent la mer et la Durance.

Guiraut Riquier

Mas trop suy vengutz als derriers : Je suis venu trop tard, dans les derniers.

« Oriolant dans une chambre haute »

Deus, tant par vient sa joie lente / A celui cui ele atalente ! Dieu, comme la joie est lente à venir / Pour celui qu'excite son attente !

« Le samedi au soir finit la semaine »

Vante l'ore et li raim crollent, / Ki s'entraimment soweif dorment : Que souffle le vent, que ploient les branches, / Ceux qui s'aiment dorment en paix.

« De Renard et de l'Ourse »

Car un laid sage est plus prisé / Que n'est un beau fou déguisé : Car un sage laid est plus apprécié / Qu'un beau fou bien vêtu.

Biauté nulle a sen ne se prent : La beauté ne se peut comparer à l'intelligence.

« Du Cheval qui mata le Lion »

Tel com on est, se doit l'on faire ; / Mès maintes gens font le contraire : On doit se montrer tel que l'on est ; / Mais bien des gens font le contraire.

Le Châtelain de Coucy

Mout aim mes ieuz qui me firent choisir : J'aime mes yeux qui la distinguèrent.

Rutebeuf

Les noires mouches vos ont point, / Or vos repoinderont les blanches : Les mouches noires vous ont piqués, / Maintenant les blanches à leur tour vous piqueront.

Noire mouche en été me point, / En hiver blanche : En été noires mouches me piquent / En hiver blanches.

Povre sens et povre memoire / M'a Diex doné, li rois de gloire /.../ Et froit au cul quant bise vente : Peu de sens et peu de mémoire / M'a donné Dieu, le roi de gloire /.../ Et froid au cul quand bise vente.

Que sont mi ami devenu / Que j'avoie si pres tenu / Et tant amé ? /.../ Je cuit li vens les a osté, / L'amor est morte : Que sont mes amis devenus / Que j'avais si étroitement fréquentés / Et tant aimés ? /.../ Je crois que le vent les a emportés. / L'amitié est morte.

Ci a bon clerc, au mieux mentir ! Le bon clerc est celui qui ment le mieux !

Guillaume de Machaut

Fortune m'est dure, amere et diverse, / Qui ma charrette ainsi trebuche et verse : Fortune est envers moi dure, amère et changeante, / Qui ainsi fait trébucher ma charrette et la renverse.

Mais j'aime trop mieux franchise et po d'avoir / Que grant richesse et servitude avoir : Mais je préfère de beaucoup liberté et peu d'argent / Que grande richesse et servitude.

En lieu de bleu, dame, vous vestez vert : Au lieu de bleu, dame, vous portez du vert.

Et voist ou doit aller le remanant : / La char aux vers, car c'est leur droite rente : Et que le reste aille où il doit aller : / La chair aux vers, car c'est leur juste lot.

Blanche com lis, plus que rose vermeille, / Resplendissant com rubis d'Oriant / Blanche comme le lis, plus vermeille que la rose, / Resplendissante comme rubis d'Orient.

Ma fin est mon commencement / Et mon commencement ma fin.

Eustache Deschamps

Rien ne se peut comparer à Paris.

Paris sans per, qui n'os onques pareille : Paris sans égale, qui n'eus jamais ta pareille.

Jean Froissart

Je n'ai nul bien si je ne dors.

Je vois assez, puisque je vois ma dame.

Christine de Pizan

Seulette suis et seulette veux être /.../ Seulette suis sans ami demeurée.

Je chante par couverture, / Mais mieux plourassent

mi œil : Je chante pour dissimuler mes sentiments, / Mais mes yeux préféreraient pleurer.

Alain Chartier

Si moi ou autre vous regarde / Les yeux sont faits pour regarder.

Et s'Amours grievent tant, au fort, / Mieux en vaut un dolent que deux : Et si Amour blesse si cruellement, en somme, / Mieux vaut un malheureux que deux.

Charles d'Orléans

Je meurs de soif auprès de la fontaine.

Je n'ai plus soif, tarie est la fontaine.

Dedans mon Livre de Pensée, / J'ai trouvé écrivant mon cœur.

Le temps a laissé son manteau / De vent, de froidure et de pluie.

François Villon

Bien sais, si j'eusse étudié / Au temps de ma jeunesse folle...

Mais où sont les neiges d'antan ?

Mais priez Dieu que tous nous veuille absoudre.

Proverbes

Et ai be faih co'l fols en pon : J'ai fait comme le fou sur le pont (Bernard de Ventadour).

Servirs c'om no gazardona, / Et esperansa bretona / Fai de senhor escuder : Service sans récompense / Et « espérance bretonne » / Font d'un seigneur un écuyer (Bernard de Ventadour).

La trueia ten al mercat : Tenir la truie au marché (Peire Cardenal).

Mal se mouille qui ne s'essuie : Il a eu bien tort de se mouiller celui qui ne s'essuie pas (Hélinant de Froidmont).

Berte fu a le mait ; s'ele en dona si en ait : Berthe a été à même de puiser à la huche aux provisions ; si elle en a donné, qu'elle en ait (Adam de la Halle).

Li mal ne sevent seul venir : Un malheur ne vient jamais seul (Rutebeuf).

Com plus couve li feus plus art : Plus le feu couve, plus il brûle (Rutebeuf).

Le temps perdu ne se peut retrouver (Jean Froissart).

L'habit le moine ne fait pas (Charles d'Orléans).
L'ouvrier se connaît à l'ouvrage (Charles d'Orléans).

Car de la pance vient la danse (Villon).
J'ai mon pain cuit (Villon).
C'est à mau chat mau rat (Villon). C'est le proverbe retourné « A bon chat, bon rat ».
Connaître mouches en lait (Villon).
Quand mort sera, vous lui ferez chaudeaux : Quand il sera mort, vous lui ferez des bouillons chauds (Villon).
Faire d'un cygne blanc un corbeau noir (Villon).

Expressions

Ne pas faire plus de cas que d'une fourmi (Guillaume IX).
Ne pas faire plus de cas que d'un coq (Guillaume IX).
Avoir la pièce et le couteau (Guillaume IX).

Cueillir la branche avec laquelle on se frappe (Bernard de Ventadour).
Faire de ses talons semelles (Rutebeuf).
Ne pas priser la valeur d'une truite (Guillaume de Machaut).
Plus noir que mûre (Villon).
Avoir dents plus longues que râteaux (Villon).
Avoir la tête plus dure qu'un galet (Villon).
Plus becquetés d'oiseaux que dés à coudre (Villon).

Bibliographie

I. Textes

La Chanson de Roland, éd. Gérard Moignet, Paris, Bordas, 1969.

Les Chansons de Guillaume IX, duc d'Aquitaine (1071-1127), Paris, Champion, 2e éd. revue, 1927 (nouveau tirage 1972).

Florilège des troubadours, publié par André Berry, Paris, Firmin-Didot, 1930.

Les Troubadours, textes choisis et traduits avec une préface par Georges Ribemont-Dessaignes, Fribourg, Egloff; Paris, L.U.F., 1946 (collection « Le Cri de la France »).

Anthologie des troubadours, éd. Pierre Bec, Paris, Union générale d'Éditions, 1979 (10/18, n° 1341).

Les Troubadours, anthologie bilingue, éd. Jacques Roubaud, Paris, Seghers, 1980.

Romances et Pastourelles françaises des XIIe et

XIIIe siècles, éd. Karl Bartsch, Leipzig, 1870 ; réimpression Darmstadt, 1975.

Les Chansons de toile, éd. Michel Zink, Paris, Champion, 1978.

Recueil général des Isopets, éd. Julia Bastin, tome II, Paris, Société des Anciens Textes Français, 1930.

Philippe de Thaün, *Le Bestiaire*, éd. Emmanuel Walberg, Lund et Paris, 1900 ; réimpression Genève, Slatkine, 1970.

Poèmes d'amour des XIIe et XIIIe siècles, éd. Emmanuèle Baumgartner et Françoise Ferrand, Paris, U.G.E., 1983 (10/18, n° 1581).

Les Chansons de Conon de Béthune, éd. Axel Wallensköld, Paris, Champion, 1921 (nouveau tirage 1968).

Les Chansons de Colin Muset, éd. Joseph Bédier, 2e éd. corrigée et complétée, Paris, Champion, 1938 (nouveau tirage 1969).

Poèmes de la mort de Turold à Villon, éd. Jean-Marcel Paquette, Paris, U.G.E., 1979 (10/18, n° 1340).

Gautier de Coinci, *Les Miracles de Nostre Dame*, éd. V. Frederic Koenig, tome I, 2e éd., Genève, Droz, 1966.

Les Congés d'Arras (Jean Bodel, Baude Fastoul, Adam de la Halle), éd. Pierre Ruelle, Bruxelles ; Presses Universitaires, Paris ; Presses Universitaires de France, 1965.

Œuvres complètes de Rutebeuf, éd. Edmond Faral et Julia Bastin, 2 vol., Paris, Picard, 1959-1960 (nouveau tirage 1969).

Guillaume de Machaut, *Poésies lyriques*, éd. Vladimir Chichmaref, 2 vol., Paris, Champion, 1909 (réimpression en un volume, Genève, Slatkine, 1973).

Œuvres complètes d'Eustache Deschamps, éd. le Marquis de Queux de Saint-Hilaire et Gaston Raynaud, 11 vol., Paris, Didot, 1878-1903 (Société des Anciens Textes Français).

Jean Froissart, *Ballades et Rondeaux*, éd. Rae S. Baudouin, Genève, Droz, 1978.

Œuvres poétiques de Christine de Pisan, éd. Maurice Roy, tome I, Paris, Didot, 1886 (S.A.T.F.).

Christine de Pizan, *Cent Ballades d'amant et de dame*, éd. Jacqueline Cerquiglini, Paris, U.G.E., 1982 (10/18, n° 1529).

Alain Chartier, *La Belle Dame sans mercy et les poésies lyriques*, éd. Arthur Piaget, 2e édition, Genève, Droz, 1949.

Charles d'Orléans, *Poésies,* éd. Pierre Champion, 2 vol., Paris, Champion, 1923-1927 (nouveau tirage, 1971).

René d'Anjou, *Le Livre du Cuer d'Amours espris*, éd. Susan Wharton, Paris, U.G.E., 1980 (10/18, n° 1385).

Le Lais Villon et les poèmes variés, éd. Jean Rychner et Albert Henry, vol. I : textes ; vol. II : commentaires, Genève, Droz, 1977.

Le Testament Villon, éd. Jean Rychner et Albert Henry, vol. I : texte ; vol. II : commentaires, Genève, Droz, 1974.

Villon, *Poésies complètes*, éd. Pierre Michel, Paris, Librairie Générale Française, 1972 (Le Livre de Poche, n° 1216).

Devinettes françaises du Moyen Age, éd. Bruno Roy, *Cahiers d'Études médiévales III,* Montréal, Bellarmin, Paris, Vrin, 1977.

Anthologie des Grands Rhétoriqueurs, éd. Paul Zumthor, Paris, Union générale d'Éditions, 1978 (10/18, n° 1232).

Jean Molinet, *Les Faictz et Dictz,* éd. Noël Dupire, tome I, Paris, Société des Anciens Textes Français, 1936.

Guillaume Crétin, *Œuvres poétiques*, éd. Kathleen Chesney, Paris, Firmin-Didot, 1932.

Jean Lemaire de Belges, *Les Épîtres de l'Amant vert,* éd. Jean Frappier, Genève, Droz, 1948.

II. ÉTUDES

BOISSINOT, Alain, « *Madame Bovary* de Gustave Flaubert, *La Chanson de Roland*, une mise en perspective historique », *Le Français aujourd'hui*, n° 54, juin 1981, pp. 28-31. (Étude comparée de la mort de Roland et de la mort d'Emma Bovary.)

BELLENGER, Yvonne, et QUÉRUEL, Danielle (sous la direction de), *Thibaut de Champagne, prince et poète au XIIIe siècle*, Lyon, La Manufacture, 1987 (Archives de Champagne).

CERQUIGLINI, Jacqueline, « *Un engin si soutil* ». *Guillaume de Machaut et l'écriture au XIVe siècle*, Paris, Champion, 1985.

DAVENSON, Henri (pseudonyme de Henri-Irénée Marrou), *Les Troubadours*, Paris, Seuil, 1967 (collection « Le Temps qui court »). (Réimpression sous le nom d'H.-I. Marrou).

DRAGONETTI, Roger, *La technique poétique des trouvères dans la chanson courtoise. Contribution à l'étude de la rhétorique médiévale*, Bruges, De Tempel, 1960. Réimpression, Genève, Slatkine, 1979.

HUCHET, Jean-Charles, *L'Amour discourtois. La « Fin'Amors » chez les premiers troubadours*, Toulouse, Privat, 1987.

NELLI, René, *Troubadours et Trouvères*, Paris, Hachette, Massin, 1979.

POIRION, Daniel, *Le Poète et le Prince. L'évolution du lyrisme courtois de Guillaume de Machaut à Charles d'Orléans*, Paris, Presses Universitaires de France, 1965. Réimpression, Genève, Slatkine, 1978.

POIRION, Daniel (sous la direction de), *Précis de littérature française du Moyen Age*, Paris, Presses Universitaires de France, 1983.

ROUBAUD, Jacques, *La Fleur inverse. Essai sur l'art formel des troubadours*, Paris, Ramsay, 1986.

RYCHNER, Jean, *La Chanson de geste. Essai sur l'art épique des jongleurs*, Genève, Droz, 1955.

VALÉRY, Paul, « Villon et Verlaine », *Études littéraires*, dans *Variété, Œuvres*, tome I, éd. Jean Hytier, Paris, Gallimard, 1968 (Bibliothèque de la Pléiade), pp. 427-443.

ZINK, Michel, *La Patourelle. Poésie et folklore au Moyen Age,* Paris, Bordas, 1972.

ZINK, Michel, *La Subjectivité littéraire. Autour du siècle de saint Louis*, Paris, Presses Universitaires de France, 1985.

ZUMTHOR, Paul, *Essai de poétique médiévale*, Paris, Seuil, 1972.

ZUMTHOR, Paul, *Le Masque et la Lumière. La poétique des grands rhétoriqueurs*, Paris, Seuil, 1978.

Discographie

Clemencic Consort, *Troubadours* (3 disques), récitant Yves Rouquette, Harmonia Mundi, 1977.

Studio der Frühen Musik, *Chansons des troubadours*,

direction Thomas Binkley, Telefunken, das Alte Werk, 1970.

Thibaud le Chansonnier. L'Unicorne, ensemble de Musique ancienne de Reims, *Chansons de Thibaud de Champagne*, Studio Leslie, Reims, 1987.

Studio der Frühen Musik, *Guillaume de Machaut, Chansons 1 et 2*, direction Thomas Binkley, Reflexe, Stationen Europäischer Musik (EMI), 1972 et 1973.

Capelle Lipsiensis, *Guillaume de Machaut, ballades, motets, rondeaux, virelais*, direction Dietrich Knothe, Philips, Universo series, 6580 026.

Studio der Frühen Musik, *Bernard de Ventadour : Deux chansons d'amour*, direction Thomas Binkley (EMI).

Ensemble Perceval, *Adam de la Halle : Le Jeu de Robin et de Marion* (Solange Boulanger : Marion ; Alain Servé : Robin), dir. Guy Robert (ARN).

Hesperion XX, *Cansos de trobairitz (chansons de trouvères)* (EMI).

Studio der Frühen Musik, *Trouvères : chanson du XIIIe siècle au nord de la France*, direction Thomas Binkley (TELEFUNKEN).

Ensemble Guillaume de Machaut de Paris, *Le Chant des troubadours* (ARI-ARN).

Solistes, sous la direction de Gérard Le Vot, *Chanson de troubadours : la lyrique occitane au Moyen Age* (Studios SM).

Table

POÉSIE RELIGIEUSE

CONGÉS

RUTEBEUF

GUILLAUME DE MACHAUT

EUSTACHE DESCHAMPS

JEAN FROISSART

CHRISTINE DE PIZAN

ALAIN CHARTIER

CHARLES D'ORLÉANS

RENÉ D'ANJOU

FRANÇOIS VILLON

DEVINETTES

JEAN MOLINET

OCTAVIEN DE SAINT-GELAYS

GUILLAUME CRÉTIN

JEAN LEMAIRE DE BELGES

JEAN MAROT

Commentaires

Crédit photos

Photos Bulloz, pp. 26-27, 65, 153, 179.
Photo B.N., p. 165.

Composition réalisée par C.M.L., Montrouge

IMPRIMÉ EN FRANCE PAR BRODARD ET TAUPIN
Usine de La Flèche (Sarthe).
LIBRAIRIE GÉNÉRALE FRANÇAISE - 6, rue Pierre-Sarrazin - 75006 Paris.
ISBN : 2 - 253 - 04007 - X

30/4269/4